OLVIDA LOS TAMBORES

OLVIDA LOS TAMBORES

COMEDIA EN DOS ACTOS

ORIGINAL DE

ANA DIOSDADO

Con Ejercicios, Vocabulario, Temas por

ANGEL RUBIO MAROTO

Phillips Academy
Andover, Mass.

Independent School Press

Wellesley Hills   Massachusetts

PREFACE

This textbook edition of *Olvida los Tambores*, by Ana Diosdado, has been designed with one purpose in mind: To give students of the Spanish language and literature a successful contemporary play of the Spanish stage written by a young and promising playwright.

Olvida los Tambores was first presented in Spain in 1970. The author, Ana Diosdado, was recognized immediately as a playwright of unusual ability. The play won for her two distinguished awards: Premio Mayte de Teatro and Premio Revelación de la Temporada. *Olvida los Tambores* first opened in Zamora, Spain, on June 28, 1970; and, in the same year on September 4, the play opened in Madrid where, for two years, it had a successful run of two daily performances, a custom of the Madrid stage. The play has been produced in Argentina, Mexico, Portugal, and the United States at Los Angeles.

Ana Diosdado was born in Buenos Aires, Argentina, in 1942, of Spanish parents. She began her work in the theater as an actress. She is the daughter of the famous actor and director Enrique Diosdado. Her stepmother is the distinguished actress Amelia de la Torre.

Besides *Olvida los Tambores,* Ana Diosdado has written two other plays, *El Okapi* and *El Guardian.* The former has received critical acclaim. The latter, which has an historical theme, has not yet been produced. At present, she is working on a new play entitled *A Todo Color.* In addition to plays, Ana Diosdado has written two novels and also writes for the Spanish newspaper *A.B.C.*

Olvida los Tambores is an interesting and relevant play concerned with contemporary Spanish life. It has an exciting theme developed in up-to-date language and dialogue appropriate for students of the second or third year of high school and for classes in second year Spanish in colleges.

All the exercises, questions, topics for discussion or writing, and the various explanations of the vocabulary are presented in Spanish; however, an alphabetical list of expressions and their English equivalents is provided at the end of the text.

Teachers and students who use this text are indebted to Ana Diosdado not only for permitting the use of *Olvida los Tambores* in this student edition but also for writing the articulate Foreword.

The editor expresses his sincere thanks to Miss Diosdado for her generous help and many kindnesses.

Angel Rubio Maroto

November 30, 1973

chico (a) progre: wears jeans, up to date, modern.
contestario (a): no accepto

martes segundo acto
Tuesday

en acto segundo pg 89 #21 na frase de todos palabras en
ejercicio   veinte frases

meter la pata: put your foot in your mouth
que tio más sano: what a great guy
    chica más san
me hecho la pasqua:
Jo: first syllable of "fuck you"

PROLOGO

Olvida los Tambores es una comedia escrita con un corte completamente clásico: Unidad de acción, unidad de lugar, unidad de tiempo. Decidí planteármela en esa forma por tratarse de mi primera comedia y creer que, como ejercicio, podía ser bueno. Y, efectivamente, aparte de la aceptación que haya podido tener entre el público, me ha servido personalmente de mucho.

El tema central es la historia de un resentimiento, y los famosos tambores, que uno de los personajes aconseja en determinado momento olvidar, son concreta y exclusivamente los del resentimiento, nunca los del progreso ni los de la contestación. El conflicto surge por la eterna lucha entre los que creen que la verdad está en la renovación y los que opinan, por el contrario, que hay que respetar a ciegas los antiguos moldes. Se los suele llamar, esquematizando mucho, "progresistas" y "conservadores."

Me propuse escribir una comedia objetiva y quise que cada uno pudiera defender sus posiciones libremente, pero ni mi progresista es totalmente puro, ni mi conservador actúa siempre de buena fe. Los seres humanos que yo he visto a mi alrededor son así: Todos tienen limitaciones y debilidades. El conflicto no se plantea entre las ideas de uno y de otro, sino que nace, precisamente, en el momento en que ninguno de los dos está a la altura de sus ideas. Los dos cometen una acción mezquina, empujados por motivos personales poco estimables: Lorenzo, primero, humilla deliberadamente a Tony. Este, en venganza, decide humillar a su vez a Lorenzo. La diferencia entre ambos es que Lorenzo seguirá en sus trece hasta el final, sin ceder un ápice, sin cambiar una sola de sus posiciones, y cuando su pequeño mundo se tambalea, cuando se le demuestra que, efectivamente, la "vida insegura y absurda era la suya," adopta la decisión cobarde y se mata. Tony, en cambio, reconoce su paso en falso y asegura que, a pesar de ello y por encima de todo lo que ello supone—las propias debilidades, la propia inseguridad—hay que seguir adelante, hay que empezar nuevamente cada día en busca de ese mundo nuevo y mejor que esperan alcanzar.

No hay más moraleja ni más tesis en *Olvida los Tambores* que, siendo un primer trabajo, no nació para tanta polémica como en la que se ha visto envuelta.

Personalmente y, aparte del gran cariño que sentiré siempre por esta comedia, espero que sea un primer paso para empeños mejores. Es para mí honor y una gran satisfacción que los estudiantes de U.S.A. que se interesan por el idioma español, puedan servirse de esta obra para una aproximación a como piensan, viven y hablan los españoles de hoy.

Ana Diosdado

Madrid, 30 de abril de 1973

Esta comedia se representó por primera vez en Zamora, el 28 de junio de 1970, y en Madrid, el 4 de septiembre de 1970, en el teatro Valle-Inclán, con el siguiente

REPARTO

ALICIA . . . . *María José Alfonso.*
TONY . . . . *Juan Diego.*
LORENZO . . . . *Jaime Blanch.*
PILI . . . . *Mercedes Sampietro.*
PEPE . . . . *Emilio Gutiérrez Caba.*
NACHO . . . . *Pastor Serrador.*

Dirección: **RAMÓN BALLESTEROS.**
Ayudante de dirección: **ENRIQUE DIOSDADO** (hijo).

OLVIDA
LOS
TAMBORES

ACTO PRIMERO

I

Un atico abuhardillado, decorado con gusto, pero con muy poco dinero. Arpillera, mimbres, madera pintada en casa, etc. . . . Hay un piano, metido a cajón en algún hueco. Es uno de esos pianos de madera oscura, sobada, comprado de tercera o cuarta mano. Por todas partes hay muchos "posters" y flores de papel de colores. A la especie de "living"-comedor-leonera que es el decorado, dan tres puertas: una, que conduce a la escalera; otra, a la alcoba, y otra, a una pequeña terraza. La cocina no es más que una especie de hornacina en la misma habitación, coronada por una campana aspiradora de humos, empapelada también de fotografías de colores. A su lado una extraña caja que no tiene más que un parecido lejano con una nevera y que, sin embargo, lo es. Una mesa-camilla, una mecedora, muchos libros, muchos discos.

(Al levantarse el telón, ALICIA está sentada en el suelo, en alguna postura de yoga, y permanece inmóvil. ALICIA tiene veintiún años, pero representa dieciséis. Es menuda, graciosa y tiene un enorme encanto. A veces, es dulce y reflexiva, pero casi siempre se muestra más bien vivaz, muy alegre, muy traviesa. Será, muy pronto, una maravillosa mujer. Lleva un pantalón vaquero, muy viejo, blanquecino por el uso, y un "sweater" de algún color vivo, demasiado grande para ella. Se ha recogido el pelo de cualquier manera para que no le estorbe, y no va maquillada en absoluto. En el tocadiscos está girando un disco suave de música hindú. Empieza a sonar el teléfono. ALICIA no se inmuta, lo deja sonar varias veces hasta que el que llama se cansa. Poco después se oye girar un llavín en la puerta de entrada y aparece TONY. TONY tiene veinticuatro años y aspecto de no poderse estar quieto más de cinco minutos seguidos. Irradia vitalidad. La primera impresión que ofrece es la de un muchacho sano y alegre, sin más complicaciones. Pero es algo más. Es, esencialmente, un ser pensante, a disgusto con lo que le rodea y en continua batalla con el medio ambiente y con sus propias dudas. Tarda unos segundos en ver a ALICIA; cuando por fin la descubre, sonríe, y se acerca de puntillas. Se arrodilla junto a ella, la mira con expresión divertida, la besa. ALICIA se muerde los labios para no reírse, pero conserva su actitud hierática. ALICIA y TONY tienen un código personal, compuesto por sus propias bromas habituales, sus propios juegos, sus propias frases, que crea a su alrededor un clima particular al que no tiene acceso casi nadie más.)

TONY—Debo de ser muy vicioso, ahora resulta que estoy enamorado de una momia. *(Se dirige a preparar algo en la diminuta cocina.)* Estoy soñando con una taza de café calentito desde que salí de casa . . . ¡No me digas que no tienes café! . . .

1

Ah, sí. (*Lo prepara todo y pone a hervir la cafetera.*) Cuando salgas del marasmo, vas a tener ocasión de oír algo bueno. Algo bueno de verdad. Lo mejor que he hecho en mi vida. ¡Fíjate, para estar contento yo con ello!

(*El disco hindú termina. ALICIA se humaniza, conservando su expresión traviesa, apaga el aparato, se pone en pie y se dirige muy decidida hacia TONY, le hace volverse hacia ella y le besa con mucho interés.*)

ALICIA (*Separándose apenas de Tony.*)—Hola.

TONY—Hola. Estás muy guapa desde hace . . .

ALICIA (*Interrumpiéndole.*)—Ocho días. En realidad, ocho días y medio, porque son más de las siete.

TONY (*Con falsa inocencia.*)—¿Hace ocho días que no nos vemos?

ALICIA—¿Te parecían menos?

TONY—Me parecían muchos más.

(*Vuelven a besarse.*)

ALICIA—Vienes a cenar conmigo, supongo.

TONY—No, hoy no puedo. Tengo que trabajar . . . Mañana, si quieres.

ALICIA (*Enfurruñada, tratando de disimular su decepción.*)—Mañana no puedo yo, tengo . . . Tengo un día muy complicado. ¿Qué era eso que había que escuchar?

TONY (*Tomándola de la mano y llevándola hacia el piano.*)—Ven. (*Se sienta al piano, lo abre, lo prueba.*) A ver cuándo te decides a comprar un piano bueno.

ALICIA—Cuando tú me lo regales. Además ¿a qué le llamas tú un piano bueno? Este costó un dineral.

TONY—Yo le llamo bueno a un piano de cola.

ALICIA—Tú siempre has tenido delirios de grandeza. ¿Dónde iba yo a meter un piano de cola?

TONY (*Que sigue con sus arpegios.*)—Cámbiate de casa.

ALICIA—Sí, hombre, en eso estaba yo pensado . . . Venga, no me hagas esperar.

TONY (*Sacando un papel de una carpeta que traía en la mano.*)—Ten.

ALICIA—¿Qué es esto?

TONY—La letra. Es de Pepe. Susceptible de mejora y perfeccionamiento.

ALICIA—A ver.

2

(TONY toca el motivo central de la melodía.)

TONY—¿Te gusta?

ALICIA—Me gusta, ¿no hay más?

TONY—Sin perfilar, pero lo hay. Escucha.

(TONY toca la melodía entera, empezando a cantarla al mismo tiempo. No canta muy bien. ALICIA se echa a reír y él la imita.)

ALICIA—Anda, que si tuvieras que defender tus canciones tú mismo . . .

TONY *(Cerrando el piano y girando rápidamente sobre el taburete.)*—¿Qué? ¿No te gusta mi hermosa voz de barítono?

ALICIA *(Imitándole el tono.)*—No es de barítono.

TONY—¿Ah, no? Qué disgusto . . . *(En vista de que ella no le dice nada.)* Bueno, ¿qué te ha parecido?

ALICIA—Muy bonita, ya te lo he dicho, muy pegadiza.

TONY *(Decepcionadísimo.)*—¡Alicia! *(Imitándola.)* "Muy bonita, ya te lo he dicho, muy pegadiza." ¿Eso es todo?

ALICIA *(Lanzándose a una desorbitada parodia del entusiasmo, llevándose las manos a la cabeza, saltando por encima del diván, poniendo los ojos en blanco y hablando con voz ronca para terminar arrodillándose frente a Tony y abrazándose a sus rodillas.)* ¡Qué belleza! . . . ¡Señor, qué belleza! ¡No puedo resistirlo! ¿Qué inspiración angélica produjo semejante música? . . . La emoción me mata. ¡Me mata! . . . Me ahogo. Por favor, maestro, otra vez. Cántela usted otra vez.

(TONY le da palmaditas en la cabeza, con expresión satisfecha, y se pone a cantar su canción, muy engolado, muy gesticulante, muy en divo de ópera, hasta que ALICIA, que le está contemplando con caricaturesco arrobamiento, se echa otra vez a reír. El la imita y ríen los dos, como locos, contagiándose cada vez más el uno al otro. Se abrazan, siempre riéndose, hasta que TONY acaba por darse cuenta de que ALICIA está llorando en sus brazos, y la separa de sí, alarmado.)

TONY—Alicia, ¿qué te pasa? Estás llorando . . .

ALICIA *(Secándose las lágrimas y tratando de echarlo a broma, de no romper el encanto del juego.)*—Es la emoción, maestro, la emoción. Ha estremecido usted todas las fibras de mi ser.

(Es evidente que está haciendo esfuerzos para sobreponerse. TONY sigue alarmado.)

TONY—¿Qué te pasa? *(Ella no contesta, se encoge de hombros, busca un pañuelo en sus bolsillos, no lo encuentra. Tony le tiende el suyo, Alicia se suena.)* ¿Qué estabas haciendo ahí en el suelo cuando yo llegué?

3

ALICIA—Yoga.

TONY (*Muy sorprendido.*)—¿Yoga? ¿Y por qué?

ALICIA—¡Ay, hijo, qué pregunta más tonta! ¡Yo qué sé! ... Porque me parece interesante.

TONY—¿Te parece interesante? ¿Desde cuándo? ¿Desde hace ocho días y medio?

ALICIA (*Suspirando con paciencia, como si tuviera que explicarle algo a un niño obtuso. Se sienta sobre sus rodillas y, mientras habla, se dedica a peinarle y a arreglarle el nudo de la corbata. Su tono se infantiliza aún más, como el del narrador de un cuento.*)—Verá ... Le explicaré a usted todo el proceso ... Hace días iba yo por la calle tan tranquilita, y me paré frente al escaparate de una librería. Vi un montón de libros apetecibles pero no me los compré todos porque no tenía bastante dinero ...

TONY (*Interrumpiéndola.*)—¿Cuánto costaban? Sabes que te tengo dicho ... *implica que el le de dineros a ella,*

ALICIA—Cállate, déjame terminar ... Además, no te preocupes. Luego me tendrás que dejar para la letra de la nevera ... Bueno, pues estaba viendo esos libros, ¡y de pronto! ...

TONY (*Dejándose llevar por el tono de ella.*)—¿De pronto?

ALICIA—De pronto vi uno, escondidito en un rincón del escaparate, en cuya cubierta podía leerse el apasionante "slogan": *de sea for want* "Por el control de la mente, hacia la paz del espíritu." Fue un *verlo.* flechazo. Comprendí que ya no podría vivir sin él. Y me lo *"Love at* compré. *first sight."*

TONY (*Volviendo a su preocupación.*)—¿No está en paz tu espíritu?

ALICIA (*Siguiendo con la broma, grandilocuente, lejana.*) Mi espíritu vaga confundido por una región nebulosa, mi espíritu se retuerce, se angustia, se enajena. Mi espíritu ...

TONY (*Interrumpiéndola.*)—Déjate de bromas. ¿Qué le pasa a tu espíritu?

ALICIA (*Poniéndose en pie, con impaciencia de niña mimada.*)— Nada, Tony, nada. No organices ahora un cuestionario estúpido, hazme el favor.

TONY (*Resumiendo el problema.*)—No eres feliz, ¿verdad?

ALICIA—Y eso, ¿a qué viene?

TONY—A que te encuentro rara, y a que hace un momento te has echado a llorar, y me gustaría saber por qué.

ALICIA—Todo el mundo llora de vez en cuando.

TONY—Yo no.

4

ALICIA—Bueno, pues yo sí. Y no puedo explicarte por qué, porque yo misma no lo sé. (*En otro tono.*) Se está enfriando el café. Anda, ve sirviéndolo mientras yo me lavo un poco la cara.

II

(*ALICIA desaparece por la puerta de la alcoba. TONY se queda unos segundos pensativo, luego se pone a servir el café en las tazas. Vuelve a sonar el teléfono. TONY alarga el brazo por encima del diván y descuelga el auricular.*)

TONY (*Seco, preocupado, mirando hacia la puerta por donde ha salido Alicia.*)—¿Sí? . . . No. Soy Tony . . . Pues no sé, tendré catarro . . . Sí, ya te he conocido, ¿qué hay? . . . ¿A mí? Nada, ¿y a ti? . . . Hija, no sé, porque tienes voz de drama . . . (*Sin ningún interés.*) Vaya por Dios . . . (*Súbitamente alarmado.*) ¿Pero dónde estás tú? . . . ¡Bueno! . . . No, yo tengo que ver a un tío ahora a las siete y media . . . Tu hermana creo que sí, espera. (*Tapando el auricular.*) ¡Alicia! . . . ¡Es Pili, que se ha peleado con el sublime Lorenzo!

ALICIA (*Dentro.*)—¿Y para eso me pone una conferencia?

TONY— ¡No es una conferencia, está en Madrid!

ALICIA (*Saliendo de la alcoba a toda prisa, con espresión divertida y una toalla en la mano.*)— ¡Ahí va! (*Se pone al teléfono.*) ¿Sí? . . . Hola, bonita, ¿qué hay?, ¿qué pasa? . . . ¿Y cómo has venido? . . . Bueno, vente para acá y me cuentas . . . Sí, estoy sola, éste se va ya, tiene que ver a no sé quién . . . Hasta ahora. (*Cuelga el auricular y mira a Tony, muerta de risa.*) ¿A que no sabes qué dice? (*Solemne, imitando la forma de hablar de Pili.*) Que ha terminado con su marido y me pide alojamiento por unos días. ¿Qué te parece?

(*Vuelve a entrar en la alcoba a dejar la toalla.*)

TONY—¿Terminar con ese mamarracho? Una consecuencia lógica. Lo que no me explico es cómo ha podido aguantarlo tanto tiempo.

ALICIA (*Volviendo a salir, divertida.*)—Pobre Lorenzo . . . (*Se sienta y se sirve azúcar en el café. Bebe un sorbo. Sorprendidísima.*) Está bueno.

TONY—Yo hago muy bien el café. (*Bebe un sorbo.*) Lo que sí me extraña es que tu hermana sea capaz de tomar una decisión tan drástica. Al fin y al cabo, es igual de taradita que él. (*Rectifica, recordando que igual que Lorenzo no puede haber nadie.*) Bueno, igual, no.

ALICIA (*A quien todo lo relacionado con su hermana divierte mucho.*)—¿Qué les habrá pasado?

TONY—Que ella habrá querido comprarse un bolso, y él le habrá dicho que, dado el cómputo mensual de gastos y beneficios, era más prudente esperar hasta el mes que viene. O algo así . . . ¡No! ¡Ya sé! ¡Pili se ha enterado de que Lorenzo tiene una amiguita y de que la va a ver los sábados, aprovechando la semana inglesa!

ALICIA (*Encantada con el hallazgo.*)—¿Lorenzo un amiguita? No le creo capaz.

TONY—Sí, mujer. Es lo usual. Llevan dos años casados, ¿no? Seguro que tiene una amiguita. (*En tono de disculpa.*) Nada pasional, no vayas a creer. Una cuestión de prestigio, simplemente. Será morenita, regordeta, y él la tendrá como a una reina. Ya verás, como es eso. Para que tu hermana se haga un "sprint" La Coruña-Madrid en un arrebato, tiene que ser por lo menos, eso.

ALICIA (*Muy dulcemente, como si acabara de descubrirlo.*)—No tienes caridad, Tony.

TONY (*Sin reparar en lo que ha dicho, Alicia.*)—Será muy bonito, ya verás: Harán las paces porque ella, magnánima, le perdonará, y en su fuero interno se sentirá muy orgullosa de tener un marido tan hombrecito. Y él le regalará una pulsera de oro a ella, y otra a la . . . (*Dándose cuenta de pronto de lo que ella ha dicho.*) ¿Que no tengo qué?

ALICIA (*Sonriendo, de nuevo traviesa.*)—Caridad.

TONY—Qué frase, ¿no?

ALICIA—¿Por qué?

TONY—¿Qué quieres decir con eso? ¿Que no tengo mis pobres?

ALICIA (*Encogiéndose de hombros.*)—Pues, no sé . . . Que juzgas a los demás sin amor.

TONY— ¡No les tengo ningún amor a tu hermana y a tu cuñado! ¡Me revientan! Viven condicionados por fórmulas vacías, y no contentos con ser idiotas de una manera modesta, se permiten el lujo de mirar a los demás por encima del hombro. ¿Qué crees? ¿Que no me doy cuenta de su actitud con nosotros? Acuérdate de la última vez que estuvieron en Madrid, por ejemplo. ¡No te han retirado el saludo, claro, eso no! Al fin y al cabo, eres la hermana de Pili. ¡Al fin y al cabo! Me horrorizan sus hipocresías, sus bajezas y sus al-fin-y-al-cabos . . . (*Volviéndose hacia ella.*) Ade-

6

más, tú tampoco tienes caridad.)

ALICIA— ¿Yo?

TONY—Tú, sí, señora. ¿Qué me dijiste la primera vez que me hablaste de tu hermana? "La pobrecita es como del siglo pasado. Se debería llamar María del Fil Tiré." ¿Y de tu cuñado? "Un cretino, que ha estudiado en los Escolapios, y ejerce." ¡Si eso es caridad! . . . Caridad . . . ¡No te digo!

ALICIA—Bueno, no creo que sea para ponerse así, ¿no?

TONY— ¡Pues estaríamos listos si la caridad hubiera que hacerla con el primer imbécil que se presenta!

(TONY se queda silencioso, dándose cuenta del poco sentido de lo que ha dicho. Mira a ALICIA de reojo, pero ella ya le está mirando con cara de circunstancias. Se hechan a reír. ALICIA se accurruca junto a TONY, que le pasa un brazo por los hombros.)

ALICIA—Deberías hacer un esfuerzo y cenar esta noche conmigo.

TONY—Para cenar contigo no tengo que hacer esfuerzos. Cenar contigo me gusta.

ALICIA— ¿Entonces?

TONY (*Divertido.*)—Entonces, ¿qué?

ALICIA— ¿Cenamos esta noche?

TONY—Estás empeñada en ligar conmigo, ¿eh?

ALICIA—Pues más bien sí.

TONY— ¿Y tu hermana?

ALICIA—Nos la llevamos . . . O le dejo la cena en la nevera . . . ¡O yo qué sé!

TONY—No estaría bien. (*Con intención.*) No sería ca-ri-ta-ti-vo . . . Además, ya te he dicho que esta noche me interesa trabajar. Cenamos mañana, ¿quieres?

ALICIA (*Incorporándose bruscamente.*)—Tony, ¿a quién tienes que ver esta noche?

TONY— ¡Vaya! ¡Ya salió aquello! No tengo que ver a nadie esta noche. He quedado con Pepe para que fuese a casa a comer unos bocadillos mientras pulíamos esa canción. *sandwiches*

ALICIA (*Enfurruñada.*)—Pulíais, pulíais . . .

TONY—Puedes preguntárselo a él, si no me crees. Ha quedado en llamarme aquí. (*Contraatacando.*) Además, ¿por qué tiene que ser esta noche? ¿Por qué no podemos cenar mañana? ¿Qué tienes tú que hacer mañana?

ALICIA—Nada. Yo nunca tengo que hacer nada, y menos por las noches. Lo que pasa es que hoy tengo ganas de cenar contigo, ¿es tan extraño? ¿Hay que dar tantas explicaciones?

(Llaman a la puerta.)

ALICIA (*Impaciente. Levantándose para ir a abrir.*)— ¡Bueno!

(ALICIA abre la puerta de entrada.)

REPARTIDOR— ¿Señora de Aguirre?

ALICIA—Sí, aquí es.

REPARTIDOR—Un paquete de Optica Soriano. Está pagado.

ALICIA—Ya sé. Muchas gracias... Espere un momento. (*El Repartidor le entrega un paquete muy grande, que ella se lleva precipitadamente a la alcoba, procurando que no lo vea Tony.*) Tony, ¿tienes algo suelto?

(TONY se acerca a la puerta y le da una propina al REPARTIDOR.)

REPARTIDOR—Muchas gracias.

TONY—Adiós. (*Cerrando la puerta. A Alicia.*) ¿Qué has comprado?

ALICIA (*Dentro.*)—¿Qué? ... Ah ... Unos zapatos.

TONY—¿Unos zapatos en una Optica?

ALICIA—Has oído mal, no ha dicho Optica.

TONY—¿Qué ha dicho?

ALICIA—Zapatería.

TONY (*Sorprendido.*)—Pues sí que he oído mal, sí ... ¿Quieres más café?

ALICIA (*Saliendo de la alcoba y volviendo junto a Tony.*)—Bueno.

TONY (*Mientras sirve. En otro tono.*)—Alicia ...

ALICIA—¿Qué?

TONY—Empiezas a estar harta de esta situación, ¿verdad?

ALICIA (*Dudando un segundo.*)—No.

TONY—¿Estás segura?

ALICIA—Sí.

TONY—Entonces, ¿qué te pasa?

ALICIA (*Muy impaciente, de nuevo en actitud de niña mimada.*) —Nada, Tony, no me pasa nada. Que tengo mucho trabajo estos días, y estoy cansada, y como estoy cansada, me pongo nerviosa, y como me pongo nerviosa ... ¡pues eso!

TONY—¿Te gustaría que viviéramos juntos?

ALICIA—No.

TONY—¿Estás segura?

ALICIA—Por favor, no me preguntes si estoy segura cada vez que digo una cosa. Si la digo es porque la pienso, y si la pienso la digo, y si la digo . . .

(Se queda cortada, no sabiendo cómo seguir.)

TONY *(Sonriendo, termina la frase con la muletilla habitual de ella.)*— ¡Pues eso!

ALICIA— ¡Pues eso!

TONY—Te advierto que si quieres que vivamos juntos, yo no tengo ningún inconveniente. Me puedo traer aquí mis cosas mañana mismo. O llevarme las tuyas a mi casa. Claro que mi casa es muy pequeña, pero eso no . . .

ALICIA *(Interrumpiéndole.)*—No te esfuerces. Nadie te pide que te sacrifiques.

TONY *(Con paciencia.)*—No sería ningún sacrificio. Lo que pasa es que . . .

ALICIA *(Interrumpiéndole de nuevo.)*—Tony, todo esto lo tenemos ya muy hablado.

TONY—Por lo visto no.

ALICIA—¿Por qué por lo visto no?

TONY—Pues porque no estás a gusto, es evidente.

ALICIA—¿Otra vez? Te he dicho que estoy un poco cansada, tampoco es para hacer un drama. *(Vuelve a sonar el timbre de la puerta. Alicia se pone en pie para ir a abrir, de muy mala gana.)* ¡Jolín, con la puerta! *(Abre y se encuentra con Lorenzo.)* ¡Hombre! ¡El rey de Roma!

(LORENZO es un hombre de veintiséis años, con un sentido profundo de la propia importancia. Tiene muy buen aspecto y es evidente que goza también de buena posición. En sus relaciones con cierto tipo de personas —entre las que se cuentan ALICIA y TONY— adopta el tono de condescendencia superior de quien no duda estar en posesión de la verdad.)

TONY— ¡Lorenzo el Magnífico! ¿Cómo tú por aquí?

III

LORENZO (*De muy mal humor, remachando las palabras con intención.*)— ¡Y tú?

TONY (*Zumbón.*)—Pues, ya ves. Pasaba y me dije: ¿por qué no subir a charlar con Alicia un ratito?

LORENZO (*A Alicia.*)— ¿Sabes algo de mi mujer?

ALICIA—Acaba de llamarme hace un momento, estará al llegar. (*Cambiando una mirada divertida con Tony.*) ¿Qué os ha pasado?

LORENZO (*Tirando su gabardina sobre una silla.*)— ¡Y yo qué sé, hija, y yo qué sé! Empiezo a pensar que tu hermana no está bien de la cabeza. Lleva una temporada rarísima. Se ha enfadado con todas sus amigas, apenas sale, no tiene ganas de hacerse ropa, no se arregla . . .

TONY (*Con exagerado espanto.*)— ¡Qué horror!

> (*LORENZO le mira con severidad. Está acostumbrado a TONY y a sus puntadas, y no suele darle más importancia que a las gracias de un "clown," pero en ese momento está poco dispuesto a aguantarle. TONY sale del radio de visión de LORENZO y se dedica a hacerle burla, imitando sus actitudes, obligando a ALICIA a morderse los labios para contener la risa.*)

LORENZO— . . . A mí apenas me habla, me mira como si fuese un bicho raro, me pregunta cosas absurdas . . .

TONY (*Interrumpiéndole.*)—Te pregunta qué piensas, por ejemplo.

LORENZO (*Fingiendo no haberle oído.*)— . . . Ayer mismo se llevó al perro a vacunar de hepatitis y . . .

TONY (*Interrumpiéndole.*)—¿De las patitis de alante, o de las de atrás?

ALICIA (*Arrugando la nariz por lo malo del chiste.*)—Tony . . .

> (*LORENZO se vuelve a mirarle con ojos asesinos. TONY va a sentarse en un rincón, adoptando una actitud de niño santo.*)

LORENZO (*Decidiéndose a continuar.*)— . . . Bueno, pues cuando volvió le pregunté si el pobre lo había pasado muy mal, ¿y sabes qué hizo? Se echó a llorar, me dijo que no era feliz y que se iba.

ALICIA (*No pudiendo resistir la tentación.*)— ¿El perro?

TONY— ¡Pobre animal! ¡Una toma de conciencia a su edad!

LORENZO (*Poniéndose en pie, indignado.*)—Si me vais a tomar a pitorreo, me marcho y espero a Pili en el portal.

ALICIA (*Conteniéndole.*)—No seas tonto, hombre. ¿No sabes

aguantar una broma? . . . Anda, ¿qué? Te dijo que se iba, ¿y qué?

LORENZO—Pues que se fue.

ALICIA—¿Anoche?

LORENZO—No, esta mañana. Cuando me levanté, ya se había marchado. Vi que se había llevado una maleta con cosas y me asusté. (*Solemne.*) Naturalmente, lo primero que hice fue llamar a tu madre.

TONY (*Imitando su solemnidad.*)— ¡Naturalmente!

LORENZO (*Directamente a Tony, muy alto de tono.*)— ¡Si una mujer se marcha de casa de su marido, yo *tengo* que pensar que está en casa de su madre!

TONY (*Dándole una palmada en la espalda.*)—¡Así me gustan a mí los hombres! ¡Pensando lo que *tienen* que pensar! . . . (*En tono de complicidad.*) No estaba, ¿verdad?

LORENZO— ¡No! ¡No estaba! (*A Alicia.*) Entonces, supuse que estaría aquí. Intenté hablar contigo, pero como tu teléfono no contestaba y yo estaba muy nervioso, me fui al aeropuerto y tomé el avión.

ALICIA (*Que está pasando un rato malísimo sin poderse reír.*) —Bueno, hombre, no te preocupes. No será tan grave la cosa.

LORENZO—¿Ah, no? Mi mujer me dice que no es feliz conmigo, agarra el portante, se larga y a ti no te parece grave.

TONY (*Escandalizado.*)—¿Que no es feliz contigo? ¡Pues qué querrá!

LORENZO (*A punto de estallar.*)—Mira, Tony, yo soy un hombre muy bien educado y con mucho aguante, pero si me buscan me acaban por encontrar. Y hoy no estoy para gracias, te lo advierto.

TONY (*Inocente.*)—Pero, hombre, si lo único que digo es que me extraña que Pili se atreva a decir una cosa así. Tiene un piso estupendo, dos criadas, un coche para su uso particular, un guardarropas para matar de envidia a todas sus amigas, un perro de lanas . . . (*Disculpándose.*) Conste, que no me refiero a ti. ¡Ah! ¡Y un ingeniero! ¡Ahí es nada! . . . Francamente, no sé qué más se le puede pedir a la vida.

ALICIA (*Chascando la lengua para darle a entender a Tony que está yendo demasiado lejos, pero deseando que continúe.*)— Tony . . .

LORENZO—Déjale, déjale. ¿No ves que está disfrutando? Le encanta que a la gente normal le salgan mal las cosas. Como él es incapaz de portarse como un hombre y de llevar una vida como Dios manda . . .

(ALICIA se vuelve bruscamente a mirarle, furiosa.)

TONY *(Dejándose de ironías, violento.)*– ¡Oye, perdona . . .!

LORENZO *(Sin dejarle seguir.)*–Pero no cantes victoria. Entre Pili y yo no va a pasar nada. Todos los matrimonios riñen alguna vez.

TONY *(Volviendo a la burla, en tono muy brillante, de locutor de radio.)*– ¡Estupendo! ¡Premio para el caballero! ¡Viva la vida con Pepsi! ¡Todos los matrimonios riñen alguna vez!

LORENZO *(Interrumpiéndole con lástima.)*–¿Tú te crees muy listo, verdad?

TONY *(Acercándosele muy en "cowboy" de los buenos tiempos, y haciendo ademán de abofetearle muy de prisa. Con voz opaca, de doblaje.)*–Sí, forastero, soy un muchacho listo. Ten cuidado conmigo.

LORENZO *(Con la paciencia completamente agotada, quitándole de en medio de un empujón.)*– ¡Anda, y que te . . .!

TONY *(Cortándole, triunfante.)*– ¡Aleluya! ¡El sublime Lorenzo va a decir una inconveniencia! Dale una copa, Alicia, se te puede poner malo.

(Recoge sus cosas.)

ALICIA– ¿Te vas?

TONY–Sí. Cuando llame Pepe, dile que no le pude esperar, que me llame después a casa. *(Suena el timbre del teléfono. Volviendo hacia el aparato.)* Será Pepe.

(Casi inmediatamente empieza a sonar también el timbre de la puerta.)

ALICIA *(Yendo a abrir.)*– ¡Por Dios! ¡Esto parece un jubileo!

(ALICIA abre la puerta. La que llega es PILI, que viene agitada, y con una maleta en la mano. Se abrazan, sin excesivo calor. PILI tiene veinticinco años y es muy guapa. Ha adquirido ya ese aire de señora joven que va a menudo a la peluquería y organiza cenas para matrimonios amigos. Viste muy bien. Trae un aire trascendental, ese aire trascendental que adoptan las personas de vida monótona cuando les pasa algo y quieren sacarle el jugo hasta el máximo. Por alguna razón, ha empezado a sentirse superior a los que la rodean. Y en algunos aspectos lo es. Pertenece a ese grupo de seres humanos capaces de tirarse de cabeza a un pozo por algo en lo que creen, o por alguien a quien aman.)

PILI–Hija, menos mal que estás en casa. Te estoy.llamando desde las cuatro y vengo rendida.

ALICIA (*Prometiéndose una escena divertida entre Lorenzo y Pili.*)—Mira quién te está esperando.

LORENZO (*Poniéndose en pie para enfrentarse con su mujer.*)—Estarás contenta, ¿no? Has puesto en revolución a toda la provincia, a tu madre le has dado un disgusto que para qué, y a mí me haces venir a buscarte como un imbécil, como si no tuviera nada importante que hacer.

PILI—Nadie te manda venir a buscarme. Yo voy donde me da la gana.

LORENZO—Bueno, eso habría que discutirlo.

PILI—Yo ya no tengo ganas de discutir contigo, me parece que te lo he dicho bastante claro.

LORENZO—Mira, Pili, vamos a no ponernos en ridículo delante de tu hermana.

ALICIA—Por mí no gastéis cumplidos.

PILI—Eso es lo que te preocupa a ti en la vida, ¿verdad? "Vamos a no ponernos en ridículo." Me da igual ponerme en ridículo, ¿te enteras? Me da igual el qué dirán y me da igual todo. Lo que quiero es vivir y no hacerme vieja metida en un frasco.

LORENZO—Mira, Pili...

TONY (*Al teléfono.*)—¿Sí...? ¿Qué hay, Pepe?... Ya me iba... ¿Quién?... ¡Hombre! ¿Y eso?... Sí, pásemelo, pásemelo... De acuerdo hasta ahora. (*Tapa el auricular como para dar una noticia muy importante.*) ¡Alicia! (*Alicia le mira, pero Tony vuelve a destapar el auricular sin tiempo para decirle nada.*)... ¿Sí?... ¿Qué tal? ¿Cómo está?... Bueno, conocerle yo sí que le conozco a usted, por supuesto, aunque sólo fuera de oídas... Pues usted me dirá... Cuando usted quiera... No, yo toco en "Las Carrozas," un club nuevo que hay por Generalísimo... Sí, ése... Bah, para ir tirando no está mal... Sólo por la noche, sí. Un pase a partir de las doce... Ya. ¿Y le han gustado? Todavía están un poco verdes, hay que trabajarlas más... ¡No, hombre, no! Yo qué le voy a poner pegas, si estoy deseando arrancar... ¿Esta noche?... De acuerdo, ¿a qué hora? (*Tapando el auricular.*) ¿Os queréis callar de una vez, que no hay manera de entenderse? (*De nuevo al teléfono.*) Dígame... Sí, sí... Entonces a las nueve y media. Muy bien... Hasta luego. (*Tony cuelga, muy entusiasmado, y se acerca a Alicia, haciendo una cabriola, le pasa un brazo por los hombros y la atrae hacia sí. En pleno entusiasmo.*) ¿A que no sabes con quién acabo de hablar?

ALICIA (*Seca.*)—No. ¿Con quién?

TONY— ¡Con Nacho Aguilar!

ALICIA—Qué bien. ¿Y quién es Nacho Aguilar?

TONY—Un tío muy importante y con mucho dinero.

LORENZO (*Gracioso.*)— ¿Y te va a poner un piso?

TONY (*Sin hacerle ningún caso, como si Alicia y él estuvieran solos.*)— ¿Sabes lo que me ha propuesto?

ALICIA (*Cada vez más seca.*)—Sí. Cenar contigo esta noche.

LORENZO (*Asintiendo con suficiencia.*)—Lo que yo digo.

TONY (*A Alicia.*)—Quiere que cenemos juntos Pepe, él y yo, para cambiar impresiones. Es muy probable que decida ocuparse de nosotros.

PILI (*Interesándose.*)— ¿Y eso puede significar mucho para ti?

TONY— ¡Te diré!

LORENZO (*Siempre zumbón.*)— ¿Por qué? ¿A qué se dedica ese señor, además de ser muy importante y de tener dinero?

TONY (*Haciéndole una caricia en la barbilla a Lorenzo.*)—Ese señor, hermosura babilónica, es uno de los gerentes discográficos más acreditados del país. Quiere lanzar algún nombre nuevo, ¡y ese nombre nuevo puede ser el de Pepe! ...

LORENZO— ¡Hombre, tanto como nuevo!

TONY—Y por supuesto, lo lanzarían con canciones mías. (*A Lorenzo.*) Porque no sé si has oído decir que yo toco el piano y compongo canciones.

LORENZO (*Siguiéndole el tono.*)— ¡Pero, hombre! ¡Si no se habla de otra cosa en todo el país!

TONY— ¿Verdad? Pues mira, es muy posible que, a partir de esta noche, empiece a ser así. (*Siempre entusiasmado enlaza a Lorenzo y empieza a bailar con él por la habitación.*) ¡Nos haremos inmensamente ricos y famosos, viajaremos por todo el mundo y acabaremos comprando una isla para vivir como nos dé la gana y no dejar entrar más que a los amigos! (*Lorenzo se zafa de él de un empujón.*) Tú no vendrás. (*Tirándole un beso a Alicia, mientras corre hacia la puerta de la calle.*) Mañana te llamo a la "boutique" y te cuento. (*A Pili y a Lorenzo, siempre en tono de guasa.*) Adiós, vosotros. A llevarse bien y a quererse mucho, ¿eh?

(*Sale.*)

IV

LORENZO (*De nuevo a lo suyo.*)—Pili . . .

PILI (*A Alicia. Como si no le hubiera oído.*)—¿Dónde te dejo todo esto?

ALICIA—Ahí, en la alcoba.

LORENZO (*Impacientándose de nuevo.*)—Pili, escucha . . .

PILI—Pues voy deshaciendo la maleta. ¿Puedo colgar mis cosas en tu armario?

ALICIA—Sí, donde quieras.

> (*PILI entra en la alcoba. LORENZO suspira y se vuelve hacia ALICIA, incómodo. Le molesta profundamente airear sus problemas domésticos ante ella.*)

LORENZO—¿Lo ves? Como si yo fuera un mueble.

ALICIA (*Por decir algo.*)—Todavía está nerviosa, acaba de llegar.

LORENZO—No, si en casa pasaba lo mismo. O no me contestaba o me miraba con pena y me decía cosas extravagantes.

ALICIA—¿Como, por ejemplo?

LORENZO—Como, por ejemplo, que viajamos en trenes distintos, que tenemos diferente longitud de onda, que yo soy un pez y ella un pájaro.

ALICIA—Que bonito, habla en parábolas.

LORENZO (*Por primera vez, sin máscara.*)—No te rías . . . La verdad es que estoy hecho polvo.

ALICIA (*Sorprendida de que su cuñado se digne hacerle una confidencia, y un poco desarmada por ello.*)—Te creo.

LORENZO—No sé qué hacer, no entiendo lo que pasa . . . Yo me casé con una chica normal. (*Alicia le mira bruscamente, acusando la frase.*) Perdona, no quise ofenderte, lo que quiero decir . . .

ALICIA—No te expliques, que es peor.

LORENZO (*Insistiendo.*)—Lo que quiero decir es que me casé con una chica que entendía por normales las mismas cosas que yo.

ALICIA (*Celebrando el hallazgo de la frase.*)— ¡Mira!

LORENZO (*De nuevo condescendiente, superior.*)—Si yo no soy tonto del todo, de veras que no. (*Alicia le mira con sorna. En otro tono.*) Y tampoco pretendo decir que lo mío sea lo bueno. Pero a mí me gusta, ¿qué quieres? Me gusta ser como soy, y vivir como vivo. Me gusta ir todos los días a la misma hora a trabajar en el mismo sitio, y tomarme un chato con los compañeros a media mañana. Y me gusta que mi mujer se esté en su casa, y que a la hora de comer me esté esperando con la mesa puesta. Que no la pone ella, tú me entiendes, es la cosa del símbolo. Igual que me gusta llegar a casa por las tardes y ponerme a leer el periódico mientras ella me cuenta tonterías de las criadas. O de los niños, cuando tengamos niños. Yo no la escucho, porque lo que me cuenta no me importa nada, pero me gusta. Y me gusta ir al cine todos los jueves y al teatro todos los sábados . . .

ALICIA (*Sin ánimo de molestar, completando un cuadro que se sabe.*)— . . . Y que tu mujer lleve un abrigo de astracán y muchas pulseras para hacer ruido . . .

LORENZO (*Admitiendo.*)—Pues sí, señora, me gusta. ¿Qué quieres que yo le haga?

ALICIA (*Lo mismo.*)— . . . Y que vaya a misa todos los domingos, aunque tú no vayas porque dices que eres ateo.

LORENZO (*Lo mismo.*)—Eso.

ALICIA (*Lo mismo.*)—A misa de doce, por supuesto.

LORENZO (*Lo mismo.*)—Por supuesto.

ALICIA— . . . Y con las pulseras.

LORENZO—Con todas las pulseras. Y que se enfade porque yo me voy al fútbol.

ALICIA—Mientras ella se queda en casa leyendo el "Garbo."

LORENZO—Exactamente.

ALICIA— . . . Para que el día de mañana les puedas decir a tus hijos: "Hijo, respeta a tu madre, que la pobrecilla no tiene muchas luces, ¡pero es más buena . . . ! "

LORENZO—¿Y qué hay de malo en eso? Yo te podría decir . . .

ALICIA (*Cortándole.*)—Si me vas a contar que tu padre y tu madre, y tu abuelo y tu abuela vivieron así y fueron felices, ahórrate el esfuerzo. Yo te podría contar cómo vivieron los reyes godos, y no llegaríamos a nada. ¿Sabes lo que ocurrió en el mundo en el año que nació Pili?

LORENZO (*Reaccionando.*)— ¡Ah, no! ¡Eso sí que no! ¡El cuento de la bomba atómica no me lo largas otra vez! La generación de la bomba atómica, la nueva era, las gaitas . . . No me sirve. A mí también me salpicó la bomba atómica, ¿no? Y aquí me tienes.

ALICIA—Hecho una momia.

LORENZO— ¡Hecho una momia, tu padre!

ALICIA—Deja a mi padre en paz, que está muerto.

LORENZO—Bueno, pues tu madre. Y no me digas que no, porque no hay más que verla.

ALICIA—Pues tú bien que le haces el caldo gordo y doblas la espina dorsal cada vez que la ves.

LORENZO—Naturalmente. Yo les tengo respeto a mis mayores.

ALICIA—Más valdría que les tuvieras cariño.

LORENZO—Ellos agradecen mucho más el respeto.

ALICIA—Pues es muy triste.

LORENZO—Será muy triste, pero es verdad. (*En otro tono.*) Bueno, ¿qué tiene que ver esto con lo que estábamos hablando?

ALICIA (*Encogiéndose de hombros.*)—No sé. En este país empieza uno a hablar de cualquier cosa y acaba siempre haciendo un discurso. (*Al verle recoger su gabardina.*) ¿Te vas?

LORENZO—Sí. Ya que he venido voy a aprovechar para hacer unas gestiones.

ALICIA (*Cogiendo unas llaves de encima de un mueble.*)—Pues toma. Llévate mi coche. Por aquí no hay ni que soñar en encontrar taxi, y con el despiste que tú tienes . . .

LORENZO (*Cogiendo las llaves.*)—Gracias. (*En otro tono, como costándole mucho trabajo.*) Háblale tú mientras.

ALICIA (*Extrañadísima de que Lorenzo acuda a ella en busca de ayuda.*)— ¿Que le hable de qué?

LORENZO (*Brusco.*)—Mujer, no sé . . . Que te cuente lo que le pasa. Contigo hablará con más confianza. Dile . . . Bueno, dile que yo la quiero y que . . . En fin, tú verás.

> (*LORENZO le da a ALICIA un beso de ritual antes de salir. Al cerrar él la puerta, ALICIA se queda durante unos segundos contemplándola, pensativa. Por fin reacciona y mira en torno buscando algo.*)

ALICIA (*Llamando.*)—Pilar . . .

PILI (*Dentro.*)— ¿Qué?

ALICIA—Ya se ha ido . . . ¿Tienes un pitillo?

PILI (*Dentro.*)—Sí, voy.

> (*Sale PILI, sacando de su bolso una cajetilla y un encendedor. Se sienta junto a su hermana y le tiende el paquete. ALICIA saca un cigarrillo, le da otro a PILI y los enciende.*)

PILI— ¿Qué ha dicho? ¿Que volverá?

ALICIA—Llamará más tarde para ver si quieres que venga a buscarte.

PILI (*Con asco.*)—Es un buen chico.

ALICIA (*Levantando los ojos al cielo, como si la supuesta bondad de Lorenzo fuese una tara difícil de soportar.*)— ¡Ya lo creo!

PILI (*Con más asco.*)–Bueno, cariñoso, honrado, trabajador . . .

ALICIA (*Igual que antes.*)–Sí.

PILI (*Como si el ser su marido fuera el colmo de la maldad.*)–Es mi marido, además.

ALICIA (*Dando a entender que ser el marido de Pili era lo último que la faltaba a Lorenzo.*)– ¡Además!

PILI (*Reaccionando, molesta.*)– ¿Además de qué?

ALICIA (*Recogiendo velas.*)–No sé. Es un decir.

PILI (*Por hablar de algo antes de ir al grano.*)– ¿Te queda café?

ALICIA–Sí, pero no está muy caliente.

PILI–No importa.

ALICIA (*Sirviendo.*)–Te sirvo en la taza de Tony, no tengo ganas de ir por otra.

PILI–Es igual.

> (*No hay cordialidad entre las dos hermanas y adivinamos que no ha habido nunca. El hecho de que PILI esté en casa de ALICIA dispuesta a hacerle confidencias, no es habitual y ambas están un poco incómodas. ALICIA reaccionará en seguida como acostumbra: jugando a reírse de PILI. PILI mantendrá, en cambio, su actitud hosca y trascendental.*)

ALICIA– ¿Qué quieres que hagamos? ¿Comemos aquí cualquier cosa o bajamos a la cafetería?

PILI–Lo que tú quieras.

ALICIA–Yo, con tal de no fregar luego los cacharros, prefiero bajar . . . Bueno, cuéntame.

PILI (*Chascando la lengua como preparándose para decir algo muy difícil.*)–La verdad es que no sé cómo empezar.

ALICIA (*Tratando de adoptar un tono de indulgencia maternal que resulta completamente anacrónico en ella.*)– ¿Qué os ha pasado? ¿Por qué habéis reñido? (*Pili la mira y esboza una risita irónica.*) ¿Tiene gracia esto que he dicho?

PILI–En cierto modo, sí. No nos ha pasado nada, ni hemos reñido. No es por ahí la cosa.

ALICIA– ¿Entonces? ¿A qué viene tu viaje, y la venida de Lorenzo a buscarte, y . . . ?

PILI (*Cortándola, decidida.*)–Alicia, lo mejor será que vayamos al grano.

ALICIA–Pues, hala.

PILI (*La mira. Duda. De pronto, lo de ir al grano no le parece tan fácil.*)–Somos europeos, ¿no?

ALICIA—No sé qué decirte. Parece que el asunto sigue en discusión.

PILI—No me hagas las cosas más difíciles, ¿quieres? Estoy intentando entrar en materia.

ALICIA—Es que me hace gracia eso que has dicho. No me imagino al pobre Lorenzo de europeo . . . Bueno, ¿qué? Tú, cuéntame lo que te pasa a ti, que es de lo que se trata.

PILI—Tú sabes cómo he sido yo siempre, ¿no?

ALICIA (*Alzando de nuevo los ojos al cielo.*)— ¡Sí, hija, sí!

PILI (*Picada.*)—Tampoco hace falta que lo digas en ese tono.

ALICIA (*Disculpándose.*)—Mujer . . .

PILI—Ya sé que he sido una imbécil. (*Alicia, que ya no se atreve a decir que sí, contesta con un gesto ambiguo.*) Pero precisamente de eso de trata. De que algo me ha hecho cambiar. (*Mira a su hermana esperando que le diga algo, pero Alicia la mira a su vez, escucha, espera y no dice nada.*) Hace tiempo que yo . . . , ¿cómo te diría? . . . Empezaba a sentir una especie de ahogo . . .

ALICIA—¿Has ido al médico?

PILI (*Impaciente.*)—Era una sensación de ahogo espiritual.

ALICIA—Ah, vamos . . .Habérmelo dicho. Mira.

(Le tiende el tratado de yoga.)

PILI— ¿Qué es esto?

ALICIA—"Por el control de la mente, hacia la paz del espíritu." Es genial. En cuanto aprendes a pasarte una pierna por el cuello, tratando al mismo tiempo de no pensar en nada, se acabaron tus problemas.

PILI (*Arrojando el libro lejos de sí, con rabia.*)— ¡Deja de hacer el idiota de una vez! He venido a hablarte en serio.

ALICIA (*Acoquinada.*)—Perdona, chica, perdona . . . Háblame en serio, anda.

PILI—Di muchas veces cuchara.

ALICIA—¿Para qué?

PILI—Tú dilo.

ALICIA (*Sin mucha convicción.*)—Cuchara, cuchara, cuchara . . . ¿Ya?

PILI—Más.

ALICIA (*Embalándose.*)—Cuchara, cuchara, cuchara, cuchara, cuchara, cuchara, cuchara, cuchara, cuchara, cuchara, cuchara . . .

PILI (*Interrumpiéndola bruscamente.*)—¿Qué quiere decir cuchara?

ALICIA—Oye, ¿quieres tomarme el pelo, por un casual?

PILI—Ya no quiere decir nada, ¿verdad? Pues eso era exactamente lo que me pasaba.

ALICIA—¿Con Lorenzo?

PILI—Con Lorenzo y con todo.

ALICIA—A ver si me entero: un día te pusiste a decir Lorenzo, Lorenzo, Lorenzo . . .

PILI—¡No! Lo que quiero decir es que me di cuenta, de pronto, de que estábamos jugando a un juego estúpido.

ALICIA—¿Lorenzo y tú?

PILI—Lorenzo y yo, y aquel señor de enfrente, y tú, ¡y todos!

ALICIA—No te entiendo. Siempre hemos creído que eras muy feliz.

PILI (*Sin poderlo entender.*)—¿Por qué?

V

ALICIA (*Encogiéndose de hombros.*)—Te casaste con Lorenzo porque quisiste, ¿no?

PILI—¡Qué tendrá que ver Lorenzo! ¡Que no es por ahí te digo! Que es otra cosa.

ALICIA—¿Y por qué no me la cuentas, y nos dejamos de sondeos?

PILI—¡Pero si no me dejas!

ALICIA—¿Que yo no te dejo? Tú, que no te explicas.

PILI (*Encontrando otro ejemplo.*)—Imagínate que todo el mundo llevase años jugando al parchís.

ALICIA (*Otra vez desconcertada.*)—¿Qué?

PILI (*Llena de razón.*)—Hija, pareces tonta. Digo que te imagines que la gente juega al parchís, tampoco es para una <u>meningitis</u>.

ALICIA (*Resignándose.*)—De acuerdo. La gente lleva años jugando al parchís, ¿y . . . ?

PILI—Y está convencida de que no hay otra cosa en el mundo, y de que ésas son las únicas reglas posibles. ¡Pero <u>de pronto</u> descubre que hay algo más!

ALICIA (*Chistosa.*)—El ajedrez, por ejemplo.

PILI (*Cogiendo el rábano por las hojas.*)— ¡Exacto! De pronto

20

alguien, sin poderlo remediar, siente unos deseos inmensos de jugar al ajedrez . . .

ALICIA (*Interrumpiéndola.*)—Y tú quieres jugar al ajedrez.

PILI—No es que *quiera* jugar al ajedrez, es que *soy* una ficha de ajedrez, y no puedo hacer otra cosa.

ALICIA—Ya. Y Lorenzo es el parchís.

PILI (*Harta.*)— ¡Lorenzo no es nada! (*En otro tono, intentándolo una vez más.*) Alicia, tú eres una mujer inteligente, ¿no es así?

ALICIA—Chica, no sé. Desde que has entrado por esa puerta, tengo la sensación de que soy tarada.

PILI—Sí, desde luego. No entiendes nada de lo que te digo.

ALICIA (*Decidiéndose a tomarse el asunto en serio por primera vez, pero muy traviesa.*)—Lo que sí entiendo es que hay algo muy concreto que quieres decirme y que no sabes cómo.

PILI (*Admitiendo.*)—Algo de eso hay.

ALICIA (*Igual.*)—Y por lo que he podido deducir, es que hay alguien que te está enseñando a jugar al ajedrez.

PILI—Por ahí, por ahí.

ALICIA (*Canturreando.*)—Pues te voy a dar un consejo.

PILI (*Rápida.*)—No es a eso a lo que he venido.

ALICIA (*Siempre canturreando, como una niña que quiere fastidiar a otra.*)—Supongo, pero te lo voy a dar igual: Si te han empezado a contar que el mundo está podrido, que nuestra civilización se muere, y que hay que romper con todo y empezar una vida distinta, tú pregunta que en qué consiste. Porque si empezar una vida distinta se limita a llevarte a ti al huerto, eso no va a arreglar el mundo.

PILI— ¡La revolucionaria de la familia abjurando de sus errores!

ALICIA—Yo no tengo nada de qué abjurar. Siempre he ido de buena fe. Desde que nací. Como una imbécil. ¿Te acuerdas? Cuando mamá nos llevaba a jugar al Retiro, yo ya quería saber por qué eran las cosas. "Al corro de la patata, comeremos ensalada . . . " ¿De la patata por qué? , preguntaba yo. Y las madres me miraban con aprensión, y me decían: " ¡Siempre se ha cantado así, guapa! " Y me apartaban de sus hijas. Tú, no. Tú, te tragabas la patata como una bendita. Como en el colegio: "Alicia, explíqueme usted la existencia de Dios." Y yo decía: " ¡Jolín! ," porque me parecía un poco fuerte. ¿Qué pasaba? Que yo creía en Dios y tú no, pero a mí me ponian en la calle mientras tú explicabas la existencia de Dios y lo que te echaran. Con tal de que te lo dieran mascadito y en letra de imprenta . . .

PILI—No me digas que te estás volviendo tradicionalista a estas alturas.

ALICIA—Me estoy volviendo escéptica, que es peor. Tengo la desagradable sensación de haberme pasado la vida haciendo el primo. Me estoy dando cuenta de que todos esos que predican cosas nuevas en las que no creen, son igual de falsos y están igual de podridos que los que predican las cosas viejas. Por eso te digo que andes con pies de plomo. Vale más un marmolillo como Lorenzo (*Recordando cómo es Lorenzo, Alicia no tiene más remedio que hacer un inciso.*)—que es un carca, el tío, un fósil con patas, pero convencido y consecuente—. A ése, por lo menos, se le ve venir. Pero los otros, los puros, los auténticos, son muy peligrosos. Hablan muy bien, dan muy bien el pego, y a las primeras de cambio te das cuenta de que van a lo suyo, y lo demás, pamplinas.

PILI (*Con intención.*)—¿Incluido Tony?

(*ALICIA se queda cortada. Se produce una pausa.*)

ALICIA (*Admitiendo, desalentada.*)—¿Y de quién crees que te estoy hablando desde que empecé?

PILI (*Irónica. Repitiendo la frase que Alicia le ha dicho antes.*)—No te entiendo. Siempre hemos creído que eras muy feliz.

ALICIA (*Sin recoger el guante. Triste.*)—Yo también lo creía. Y lo era.

PILI (*Evasiva.*)—¿Qué ha pasado?

ALICIA (*Encogiéndose de hombros, muy, muy grandilocuente, queriendo ponerse de pronto en mujer madura.*)—¿Pasar? . . . ¡Qué más da! . . . Que es triste darse cuenta de pronto de que el ser en quien hemos puesto todas nuestras esperanzas, en quien hemos creído, a quien hemos admirado, en quien hemos confiado ciegamente . . . (*Suena el timbre del teléfono.*) ¡Bueno! (*Al aparato.*) ¿Sí? . . . Ah, hola mamá. (*Gesto significativo a Pili.*) Sí, está aquí, está aquí . . . No, Lorenzo no está aquí ahora, pero ha venido, sí . . . Luego volverá, claro . . . Sí, muy bien los dos . . . Bueno, pues no te preocupes . . . Ahora se pone.

(*PILI hace un ademán de protesta, pero ALICIA le tiende el auricular.*)

PILI (*Con cara de mártir, al aparto.*)—¿Mamá? . . . Sí, es posible que esté loca, pero desde luego no lo voy a discutir contigo, así que no te molestes . . . Son cosas que pasan, hay que tomarlas como vienen . . . Pues toma tila . . . No, mamá, no he pensado en San Pablo. De momento por lo menos, no. (*Suspira impaciente.*)

22

Sí, me temo que volverá ... No sé si nos iremos juntos, supongo que no ... Mamá, guapa, nos hablamos mañana, ¿quieres? Mañana te llamo yo y te cuento lo que sea. Hala, hasta mañana.

(Cuelga, sin dar lugar a que del otro lado le contesten nada.)

ALICIA—Pobrecilla, debe de estar hecha polvo.

PILI—¿Y qué quieres que yo le haga?

ALICIA—Pues no ladrarle, por lo menos.

PILI—¡Si es ella la que empieza ladrándome a mí! ... Además, ¡qué pobrecilla ni qué ...! Se entera de que tengo un problema, y en vez de decirme: "Hija, ¿qué te pasa?, ¿necesitas algo?", me suelta cuatro berridos diciéndome que soy una insensata, ¡y que piense en San Pablo! ...

ALICIA—Mujer, viniendo de ella no nos va a extrañar.

PILI—Viniendo de ella es de quien debía extrañarnos. En su vida ha leído a San Pablo.

ALICIA—Le leyeron un trozo el día de su boda, y le quedó un trauma.

PILI—¡El día de su boda! Te apuesto lo que quieras a que estaba pendiente de que el velo no le tapara las ondas, o de arreglarse un pliegue de la falda. Y lo que le preocupa no es San Pablo, sino las de Marín, que se van a poner moradas a hablar del asunto en cuanto se enteren ... Parece mentira que no conozcas a tu madre.

ALICIA *(Divertidísima de ver a Pili en aquella actitud.)*—Lo que me parece mentira es que tú no la hayas conocido hasta hoy. Nunca te había oído hablar así.

PILI—He cambiado mucho en los últimos días.

ALICIA—Ya veo.

PILI *(Expeditiva.)*—Bueno, sigue con lo que me estabas contando.

ALICIA—¿No eras tú la que habías venido a contarme algo a mí?

PILI—Sí, pero tú habías empezado a decirme no sé qué de Tony.

ALICIA *(Suspirando profundamente, como para darse ánimos y volver a empezar, muy dramática.)*—Pues eso ... Que es muy triste darse cuenta, de pronto, de que el ser en quien hemos puesto todas nuestras esperanzas, en quien hemos creído, a quien hemos admirado, en quien hemos confiado ciegamente ... *(Vuelve a sonar el teléfono. Alicia se muerde los labios y cierra los ojos para contenerse. Descuelga el auricular. Al aparato.)* ¿Diga? ... *(Alza los ojos al cielo, como implorando paciencia.)* Sí ... ¡Mamá, por Dios! ... ¿Tú crees que es momento? ... Cómo me puedes llamar por teléfono para decirme semejante estupidez? . . . Además, ¡me da igual! Tú piensa lo que te dé la gana, pero a mí, déjame en paz. (*Cuelga, muy violenta.*) ¡No te digo!

PILI— ¿No quedamos en que no había que ladrarle?

ALICIA— ¡Si es que me saca de quicio! ¿No llama para decirme que la culpa de todo la tengo yo, que soy una loca y que doy mal ejemplo a todo el mundo?

PILI—Viniendo de ella, no te debía extrañar.

ALICIA— ¡No me extraña, me revienta! (*Brusca, por cambiar de tema.*) Bueno, ¿qué me estabas diciendo?

PILI—Decías que era muy triste . . . no sé qué.

ALICIA (*Cogiendo de nuevo el hilo, pero recitando todo el párrafo mucho más de prisa, como con miedo a que la interrumpan.*)—Pues sí . . . Que es muy triste darse cuenta, de pronto, de que el ser en quien hemos puesto todas nuestras esperanzas, en quien hemos creído, a quien hemos . . . (*Empiezan a oírse, insistentes, unos cortos timbrazos en la puerta principal. Alicia da un golpe sobre la mesa con una taza, o con un cenicero, o con algo que suena mucho, y se levanta con rabia para ir a abrir. Alicia, absolutamente harta y renunciando al efecto dramático, mientras va hacia la puerta.*) Pues eso, que me la está pegando.

> (*Abre la puerta. El que llega es PEPE. PEPE tiene la edad de TONY, las ideas de TONY, el idioma de TONY. Pero no es TONY. Está cabalgando aún entre dos mundos, es más prudente. Como ALICIA, admira a TONY incondicionalmente, pero no siempre es capaz de seguirle. Bajo su capa de frivolidad chistosa, hay una gran capacidad de comprensión y de ternura. Al entrar él, vuelve a crearse el clima desaparecido al irse TONY, clima que será el único en compartir con TONY y con ALICIA.*)

PEPE (*Besando a Alicia efusivamente en ambas mejillas.*)— ¿Muá! ¡Muá! ¿Quién es la mujer más guapa de España?

ALICIA—Si lo dice usted aquí, por una . . .

PEPE—Por una, hija, claro que lo digo por una. Ya sabes que uno ha sido siempre muy entusiasta de una. (*Advirtiendo por primera vez a Pili.*) Aunque, bien mirado, tampoco tengo peros que ponerle a otra. (*Ofreciendo su mano a Pili con galantería excesiva.*) El gusto es mío, señorita, cantidades industriales de gusto . . . ¿Cómo está usted? José Pérez Alcalde, para servirla. Si intimamos, podrá usted llamarme Pepe.

ALICIA—No desperdicies labia: es mi hermana.

PEPE—Bueno, se le puede perdonar. Nadie es perfecto. (*A Pili.*) ¿cómo me has dicho que te llamas?

ALICIA—No te lo ha dicho, pero se llama *señora* de Fontán. Para estar por casa puedes llamarla Pili.

PEPE (*Natural, sonriendo.*)—Hola, Pili.

PILI—Hola, Pepe.

ALICIA (*Al ver que Pepe deja sus cosas, dispuesto a quedarse.*)— ¿Tú no habías quedado con Tony en no sé qué sitio?

PEPE—Había, sí. Pero cambió de idea.

ALICIA—¿Cómo que cambió de idea?

PEPE—Diez minutos después de hablar conmigo, me volvió a llamar y me dijo que nos encontraríamos a los ocho en tu casa, y que te trajese un par de botellas de Rioja. Aquí las tienes, yo soy muy bien mandado. (*Acordándose de pronto.*) ¡Ah! ¡Y que llamase al gran hombre para citarle aquí!

VI

ALICIA (*Alarmada.*)—¿A qué gran hombre?

PEPE—A uno que nos va a poner en órbita, si sabemos darle bien la coba. (*Busca un número en su agenda.*) Promoción, ¿comprendes, querida? Pro-mo-ción. (*Mientras marca un número.*) Pon el vino a enfriar, anda. Ya sé que es un crimen, pero yo soy un sádico ... (*Al teléfono.*) Por favor, ¿señor Aguilar? ... De parte de Pepe Alcalde. (*Tapa el auricular, con mucho entusiasmo.*) ¡Se pone! ¡Se pone!

ALICIA (*Guardando las botellas en la nevera.*)—¿Y por qué no se va a poner?

PEPE (*Encogiéndose de hombros.*)—Yo qué sé, como es importante ... (*Al teléfono.*) ¿Nacho? ... Oye, soy Pepe Alcalde ... No, nada, te llamo para quedar contigo en otro sitio, luego te explicamos ... Sí, toma nota ... Espero. (*Vuelve a tapar el auricular. A Alicia.*) ¿Has visto? Ya le tuteo y todo. Eso le gusta. Le hace sentirse joven.

ALICIA—¿Es que es viejo?

PEPE—Mujer, tanto como viejo ... Digamos que no es un niño. (*Observándolas a las dos mientras espera.*) Oye, no os parecéis tu hermana y tú. (*De nuevo al teléfono.*) ¿Nacho? Sí, apunta: Virgen de la Fuensanta, 22 ... Nada, muy céntrico, a menos de treinta kilómetros de la Puerta del Sol. Un poco antes de llegar a Burgos, sí ... Con paciencia ... Es el octavo. No hay más que una puerta . . . Claro, nosotros estaremos ya dentro, no te preocupes . . . Sí, sí, cenamos aquí . . . Hasta luego.

(Cuelga.)

ALICIA *(Asustada.)*—¿Cómo que cenáis aquí?

PEPE—Eso me ha dicho Tony.

ALICIA— ¡Pero si no tengo de nada!

PEPE *(Levantando las manos.)*—Ah, yo soy inocente . . . , yo me limito a cumplir órdenes.

ALICIA—Bueno, ¿y ahora qué hago yo? *(Recapacitando, práctica. A Pepe.)* Las botellas se las habrás robado a tu familia, como siempre, ¿no?

PEPE— ¡Mujer, robar! Las he cogido de casa, sí.

ALICIA *(Tendiendo la mano en gesto perentorio.)*—Pues ya me estás dando veinte duros.

PEPE— ¡Encima!

ALICIA— ¿No vas a cenar aquí? Pues veinte duros.

PEPE *(Rascando su bolsillo, visiblemente reacio.)*—Desde luego . . . Lo tuyo . . . Esto ni es hospitalidad, ni es nada . . . Toma. Veinte de mis mejores duros. ¿Qué vas a hacer con ellos?

ALICIA—Comprar la cena. ¿Tú tienes dinero, Pili?

PILI *(Cogiendo su bolso.)*—Sí, ¿qué necesitas?

ALICIA—Pues, no sé . . . Somos dos; éste, tres; Tony, cuatro; el gran hombre, cinco . . .

PEPE—Al gran hombre hay que darle bien de cenar para que nos contrate.

PILI—Toma mil pesetas. Con menos, no haces nada.

PEPE— ¡Hombre, sin pasarse! Tampoco hay que matarlo. Tendrá la tensión alta.

ALICIA *(Guardándose el billete.)*—Deja, que ésta es rica. *(Cogiendo un abrigo y un bolso para bajar a la calle.)* Haceos la visita el uno al otro.

PEPE—Sí, señora.

ALICIA—Y de paso, a ver si os inventáis una mesa para cinco, y la vais poniendo.

PEPE—Sí, señora.

ALICIA *(Asomándose una vez más antes de cerrar la puerta.)*—Pepe . . .

PEPE— ¿Que?

ALICIA—He dicho la visita.

26

(Sale.)

PEPE– ¡Por Dios! ¡Que va a pensar esta señorita! . . . Perdón, esta señora. ¿Es verdad eso de que eres señora de no sé qué?

PILI *(Como si fuera muy dramático.)*–De Fontán.

PEPE–Qué bonito.

PILI– ¿Tú crees?

PEPE–No sé, digo yo . . . ¿Y tu marido?

PILI *(Igual.)*–Bien.

PEPE– ¿Qué hace?

PILI–Gestiones.

PEPE– ¿Cómo?

PILI–Gestiones. Ha dicho que se iba a hacer gestiones.

PEPE–Ah . . . Pero no es que se dedique a eso.

PILI–No.

> *(Tras los esfuerzos realizados para hablar de algo, se quedan en un silencio incómodo. PEPE está quitando las cosas de encima de la mesa-camilla.)*

PEPE– ¿Y a qué se dedica?

PILI– ¿Y tú qué haces? *(Se ríen. Por fin se decide a hablar Pili.)* Es ingeniero.

PEPE–Qué bien. ¿Y tú?

PILI–Yo no me dedico a nada.

PEPE *(Comprensivo.)*–Te dedicas a tu marido.

PILI–Tampoco.

PEPE–Entonces, te aburrirás lo tuyo.

PILI–Todo.

PEPE– ¿Por qué no haces algo?

PILI *(Levantándose avergonzada, dispuesta a ayudar a Pepe.)*–Perdona, es que como no sé donde está nada . . .

PEPE–No, mujer, si digo en la vida. Que por qué no haces algo para no aburrirte.

PILI *(Volviéndose a sentar, tranquilizada.)*–Ah . . . Pues a eso he venido, precisamente.

PEPE– ¿A casa de Alicia?

PILI–A Madrid. Yo vivo en La Coruña.

PEPE–Ya. Vienes a buscar trabajo.

PILI–Más que trabajo, orientación. Tengo que aclararme las ideas.

PEPE (*Que está cargando solo con la mesa-camilla para ponerla en primer término.*)—Si quieres echarme una mano tampoco me importa, ¿eh? (*Pili vuelve a levantarse, le ayuda.*) ... Pues ya verás cómo te dan un trabajo; siempre que uno pide orientación, lo que le dan es un trabajo. No hay manera de que te orienten de otra forma.

PILI—¿Y tú qué haces? Escribes canciones, ¿no?

PEPE—En mis horas de ocio.

PILI—¿Y en las otras?

PEPE—En las otras, las canto. Estudio Económicas. Quinto de Económicas. (*Adelantándose a los posibles comentarios archisabidos, como un loro.*) No, señora. No reparto octavillas. No, señora, no pongo bombas. No, señora, economista no es lo mismo que comunista. (*Pili se ríe.*) Además, a mí lo que me gusta es cantar.

PILI—¿Y entonces por qué estudias?

PEPE— ¡Pero si no estudio! (*Vuelve a reírse. Luego, ya en serio contesta a la pregunta de ella.*) Por si acaso.

PILI—Por si acaso, ¿qué?

PEPE—Por si acaso no puedo vivir de mi privilegiada inspiración, ni de mi privilegiada garganta. A veces, el mundo comete injusticias como ésa.

PILI (*Chascando la lengua con desaprobación.*)—Así no vale. Tirarse con paracaídas, no tiene mérito.

PEPE—¿Y qué es lo que tiene mérito? ¿Estrellarse?

PILI—O volar. Mira Tony.

PEPE—¿Tony vuela? Primera noticia.

PILI—Tony dejó colgada una carrera y abandonó eso que el vulgo llama un porvenir brillante. ¿O no?

PEPE—Lo que demuestra únicamente que Tony es más valiente que yo.

PILI—Es que hay que ser valiente.

PEPE—Claro. Y alto. Y rubio. Y guapo. Y simpático. Lo que pasa es que no siempre se puede. Uno, en su modestia, no puede.

PILI—Tenemos que ser valientes si queremos construir un mundo nuevo.

PEPE (*Deteniéndose en su quehacer, sorprendido por la frase.*)— ¿Tú lees mucho, no?

PILI (*Sin hacer caso del comentario.*)— ¿No estás de acuerdo?

PEPE (*Sigue poniendo la mesa.*)—Mujer, así de pronto ... ¿Tu marido también vuela?

PILI—¿Qué?

PEPE—Que si también es valiente y va a construir un mundo nuevo.

PILI—¿Ese? Qué va a construir, pobrecito mío. A él le gusta el que hay.

PEPE—No puede ser.

PILI—Palabra.

PEPE—Lo dirá por decir.

PILI—No, si decir, dice que no le gusta. Vamos, dice que está mal que la gente pase hambre, y que haya injusticias y guerras, pero que qué le vamos a hacer... (*Resumiendo.*) A él que le den sus frases hechas, su sueldo a primeros de mes y su tranquilidad, ¿comprendes?

PEPE—¿Y a ti?

PILI—Yo era como él hasta hace poco. Es decir, ni siquiera era como él, no era nada.

PEPE—¿Y ahora?

PILI—Ahora empiezo a verlo todo con ojos nuevos.

PEPE—Ya... ¿Y qué se siente?

PILI—Pues, no sé... Una embriagadora sensación de libertad. (*Extrañada.*) ¿No te ha pasado nunca?

PEPE—Creo que no. La única vez que experimenté una... una embriagadora sensación de libertad fue al acabar la "mili," pero no debe de ser lo que tú dices.

PILI—¿Siempre te tomas así las cosas?

PEPE—¿Cómo?

PILI—A choteo.

PEPE (*Sonriendo.*)—Me da un poco de vergüenza hablar en serio.

PILI—¿Por qué?

PEPE— ¡Se ha dicho tanto todo!

PILI—Pero si se ha dicho, y no se ha solucionado, será que hay que seguir diciéndolo, ¿no?

PEPE—Puede...

PILI—La gente como tú me pone mala, sois el reino de la media tinta.

PEPE (*Harto ya del imprevisto sermón.*)—Oye, guapa . . .

(*Se oye un llavín abriendo la puerta de entrada. Aparece TONY, cargado de paquetes.*)

TONY (*Al ver a Pepe.*)—Hola, ¿ya estás aquí?

PEPE—Ya ves.

TONY—¿Llamaste al ilustre?

PEPE—Sí, ha quedado en venir hacia las nueve.

TONY (*Liberándose de los paquetes.*)—¿Y Alicia?

PEPE—Ha bajado a comprar cosas para la cena . . . ¿Estas flores?

TONY—Son para Alicia. (*A Pili.*) ¿Quieres ponérselas por ahí en algún cacharro, tú, que sabrás? (*Pili duda un segundo, luego asiente, coge el ramillete y mira a su alrededor buscando algún recipiente. Por fin encuentra uno, con flores de papel, las quita y se lo lleva todo por la puerta de la alcoba. Tony y Pepe están metiendo en la nevera las cosas que ha traído Tony. Este, al ver que Pepe va a meter uno de los paquetes en la nevera.*) No, eso no. Eso déjalo ahí, encima de la mesa . . . Y si no, dámelo.

PEPE (*Dándoselo, mientras Tony se lo guarda en un bolsillo.*)— ¿Qué es? ¿Un regalo?

TONY—Sí.

PEPE—¿Qué has empeñado?

TONY—Nada, no me ha dado tiempo. He pedido un préstamo.

PEPE—Dime dónde, a ver si puedo pedir yo otro.

TONY—No creo que puedas. Es un anticipo que me han dado en el Club . . . ¿Qué va a subir Alicia?

PEPE—No sé, ha dicho que no tenía de nada . . . Oye, Tony.

TONY—¿Qué?

PEPE—Estos días atrás . . . ¿Tú no habías ido a La Coruña, a no sé qué?

TONY—¿Yo? . . . ¿Por qué lo preguntas?

PEPE—Curiosidad.

TONY—¿Qué clase de curiosidad?

PEPE (*Con intención.*)—Quería saber si lo veías todo con ojos nuevos.

TONY (*Sin entender.*)—¿Qué?

PILI (*Saliendo con las flores.*)—¿Dónde las pongo? ¿En la mesa?

PEPE—Hija, en la mesa no caben ni los platos para todos los que somos. Si encima nos pones flores . . .

TONY—Es que está acostumbrada a mesas importantes, la chica. Su marido "lo gana" muy bien, ¿sabes?

(PILI va a decir algo, pero en la puerta de entrada se oye de nuevo el llavín. Es ALICIA, que viene también con varios paquetes. PEPE corre a ayudarla.)

ALICIA—Hola. No os podréis quejar, traigo de todo. A ver si es verdad que el viejo ese resulta rentable luego. *(Se tapa la boca, alarmada de pronto.)* No estará por ahí, ¿no?

TONY—No ha venido todavía.

ALICIA *(Abriendo a su vez la nevera.)*— ¡Huy, qué de cosas, qué bien! . . . Bueno, ¿y a qué se debe el honor de que decidáis cenar en mi casa?

TONY *(Displicente.)*—Pensé que no tendríamos más remedio que invitarle, y que por ahí nos iba a costar una burrada.

(PEPE sonríe. TONY le guiña un ojo.)

ALICIA *(Indignada.)*— ¡Desde luego a ti se te puede llamar cualquier cosa, pero hipócrita . . . ¡ ¿Pues sabes qué te digo? Que te voy a poner en vergüenza.

TONY *(Dudándolo mucho.)*— ¿A mí?

ALICIA— ¿Sabes qué día es hoy?

TONY— ¿Hoy? Jueves, ¿no?

ALICIA— ¡Jueves! ¡Hoy es 30 de septiembre!

TONY— ¿Y qué?

ALICIA— ¿Cómo que y qué? ¡Que tú y yo nos casamos un nefasto 30 de septiembre!

TONY *(Sin darle importancia.)*—Ah, bueno, creí que pasaba algo.

ALICIA *(Indignada.)*— ¡Tony!

(TONY ha ido a coger el florero que PILI habrá colocado sobre algún mueble, y se acerca con él.)

TONY *(Enarbolando el exiguo ramo frente a Alicia.)*— ¿Cuántos años hace que estamos casados?

PILI *(Rápida.)*—Tres.

TONY *(A Alicia, contando las flores.)*—Una, dos . . . Y tres. ¿Qué? ¿Es un detalle delicado, o no es un detalle delicado? *(Alicia va a decir algo, pero él la interrumpe.)* ¿Y qué era eso que vimos anteayer en un escaparate y que te gustó tanto?

ALICIA (*Acordándose.*)—No fue anteayer, fue hace ocho días.

TONY—¿Qué era?

ALICIA (*Entusiasmándose.*)—Tony . . . , ¿de verdad?

TONY—Si no me dices lo que era, no te lo doy.

PEPE—Díselo, mujer, que nos va a tener así toda la noche.

ALICIA— ¡Un camafeo! ¡Un camafeo auténtico, que costaba una bestialidad!

TONY (*Mayestático, tendiéndole el paquete.*)— ¡Voilà!

ALICIA (*Nerviosa, abriendo el paquete.*)— ¡Tony!

TONY—Si soy una monada.

> (*ALICIA le echa los brazos al cuello. PILI los está mirando, apoyada contra la pared, con una mirada extraña.*)

ALICIA—Yo creí que no te acordabas.

TONY—Y no me acordaba. Pero tenías tanto empeño en cenar conmigo precisamente hoy, que acabé por darme cuenta.

ALICIA (*Recordando de pronto.*)— ¡Anda! ¡Si yo también tengo un regalo para ti! (*Corre hacia la alcoba.*) ¡Pepe, ven, ayúdame, que hay que armarlo!

> (*PEPE la sigue.*)

TONY—¿Que hay que armarlo . . . ? ¿No será un piano de cola?

ALICIA (*Dentro.*)— ¡Vete a paseo! ¡Un piano de cola! ¡No te digo!

TONY (*A Pili, sin cordialidad, tal vez incómodo.*)—¿Qué te pongo? ¿Un whisky . . . ? Hoy tenemos. (*Ella no le contesta, le mira.*) ¿O prefieres un jerez? (*Pili sigue quieta, mira a Tony, pero no dice nada. El se acerca al bar, se vuelve hacia ella, insistiendo, con un dejo de agresividad en la voz.*) ¿Whisky o jerez?

PILI—Aclárame una duda: ¿Es que te vas a hacer musulmán o es que yo llevo ocho días haciendo el ridículo?

TONY—No me voy a hacer musulmán.

PILI—Ya . . . Entonces, yo, ¿qué he sido?

TONY—Contéstate tú a la pregunta.

> (*Se produce una larga pausa. La respuesta de TONY ha sido un mazazo para PILI. TONY, mientras saca vasos del bar y sirve en ellos whisky, trata de estar natural, sin conseguirlo.*)

PILI—No lo entiendo, Tony. ¿Qué pretendías?

TONY—Pues, hija, está clarísimo.

PILI— . . . Ya sé lo que pretendías . . . Vengarte, ¿verdad? Vengarte de que mi familia te haga el vacío y se meta con tus cosas. ¿Es eso?

TONY (*Cada vez más incómodo, tratando de parecer mundano.*)— Pili, no dramatices, ¿quieres? Ha sido una semana muy agradable, ¿no? Pues ya está.

PILI—¿Ya está? ¿Y todo aquello de que yo no estaba hecha para esa vida, que debía tomar otro camino y encontrarme a mí misma?

TONY (*Igual.*)—Eso es lo que más me fastidia de cierto tipo de mujeres. En cuanto uno se permite darles un consejo, ya se creen que lo que quiere es quedárselas para toda la vida . . . Tú ya tienes un marido, ¿no? Pues eso era todo lo que te pedían: Que consiguieras un marido y que los escándalos, de darlos, los dieras "sotto voce," sin romper el armonioso orden general. No te preocupes. Vas muy bien.

PILI—No te va, Tony.

TONY—¿El qué?

PILI—El cinismo. Hace varios años que te conozco y . . .

(*ALICIA y PEPE salen de la alcoba, interrumpiendo el diálogo. Traen un telescopio, un trípode y un mapa estelar.*)

TONY (*Fingiendo entusiasmo para salir al paso.*)— ¡Alicia!

ALICIA (*Sonriendo, satisfecha.*)—No te lo esperabas, ¿eh?

TONY (*Acariciando el telescopio.*)—La ilusión de mi vida . . . ¡Pero esto sí que cuesta un dineral!

ALICIA—¿Y para qué es el dinero? ¿Tú no querías ver las estrellas?

PEPE—Haberle dado una patada en la boca.

TONY— ¡Gracioso . . . ! Trae, que lo pongamos.

ALICIA—Ya lo podéis instalar bien, porque éste, desde luego, no se mueve de aquí: Cuando te sientas en vena de mirar el cielo, me tendrás que ver a mí de paso.

TONY (*Jugando al galante.*)—Ten en cuenta que viene a ser lo mismo.

PEPE— ¡Qué asco! ¡Qué frase! Menos mal que las letras las pongo yo.

ALICIA—A ver si es verdad, y las pones todas, que yo de esto no he pagado más que la entrada.

(Llaman a la puerta. Todos se sobresaltan.)

PEPE— ¡Ya está aquí!

ALICIA *(Corriendo hacia la alcoba.)*— ¡Ah, pues yo me tengo que cambiar de ropa!

TONY— ¿Ahora te vas a cambiar?

ALICIA— ¡Hombre! ¡Menudo vestido tenía yo previsto para esta noche! ¡Pili! ¡Ven! Tú también te tienes que arreglar un poco.

PILI *(Que ha permanecido apartada, visiblemente afectada por lo sucedido con Tony.)*—No. Yo casi no me he traído nada... Además.

ALICIA *(Cogiéndola de la mano y llevándosela.)*—Es igual, te pones algo mío, ¡corre!

(PEPE las detiene en la puerta de la habitación.)

PEPE—Una cosa os advierto. Esta noche nos jugamos éste y yo el cocido futuro y hay que ganárselo como sea. Que no se le olvide a nadie que somos "jóvenes," peligroso partido clandestino que se va a comer el mundo. *(Señalando a la puerta.)* Lo que este señor compra es eso.

ALICIA *(Nerviosísima.)*— ¿Ya, guapo?

PEPE— ¡Que lo digo en serio! Si se nos nota que somos como todo el mundo, ¡estamos listos! *(Alicia y Pili cierran la puerta de la alcoba. Tony y Pepe se multiplican para ponerlo todo en orden a un ritmo vertiginoso. Vuelve a sonar el tiembre. Tony se lanza hacia la puerta y Pepe lo detiene.)* Encomiéndate a Dios, Antonio, que lo de esta noche es muy importante.

TONY *(Harto.)*—Vete tú encomendándome mientras yo abro, ¿eh?

(TONY se precipita a abrir la puerta principal. El que llega es LORENZO.)

LORENZO—Hola.

TONY *(Desilusionado.)*—Ah, hola... *(Gritando, a las chicas.)* Podéis salir, es Lorenzo. *(A Lorenzo.)* ¿Que vais a hacer? Os vais, ¿no?

LORENZO—Depende de Pili... Lo que ella diga.

TONY *(Extendiendo la mano para que le dé la gabardina.)*—Pues trae. Vamos a quitar trastos de en medio. Tú no conocías a Pepe, creo. *(Pepe y Lorenzo se estrechan las manos mientras Tony se acerca a la puerta de la alcoba y llama.)* ¿Se puede?

ALICIA *(Dentro, alarmada.)*— ¡No!

TONY—Bueno, bueno, sólo quería meter la gabardina de éste para que no ande rodando.

(Por una rendija se asoma una mano, que se lleva la gabardina y vuelve a cerrar la puerta.)

LORENZO— ¿Qué hacen?

PEPE—Se están poniendo de tiros largos.

LORENZO— ¿Y eso?

TONY—Va a venir Nacho Aguilar a cenar con nosotros.

LORENZO— ¿El de antes? ¿No decíais que os ibais a ver no sé dónde?

TONY—Pero viene aquí. Tenemos que hablar de negocios.

(Se abre la puerta de la alcoba y aparece ALICIA que, efectivamente, se ha puesto de "tiros largos." PILI sigue con los mismos pantalones de viaje con los que llegó, pero se ha puesto encima una casaca de ALICIA, con la que se encuentra un poco incómoda. PEPE silba admirativamente al verlas.)

PEPE— ¡Qué barbaridad! Nunca viose cancionero de damas tan bien servido.

TONY (*Empeñado en echar a Lorenzo y a Pili.*)—Bueno, por fin, ¿qué hacéis?

LORENZO (*Encogiéndose de hombros.*)—Lo que ella quiera, ya te lo he dicho.

ALICIA (*Dándolo por sentado.*)—Os quedáis, ¿no?

PILI (*Mirando a Tony, con cierto desafío.*)—Pues mira, sí. Nos vamos a quedar.

(Vuelve a sonar el timbre de la puerta y vuelve a organizarse el revuelo anterior.)

PEPE (*En voz baja, en tono de conspirador cogido "in fraganti."*) —Ahí está! ¡Ahora sí que es él! ¡La voz de la experiencia! ¡La posibilidad de pasta!

ALICIA (*En el mismo tono.*)— ¡Calla, ganso!

PEPE (*Lo mismo.*)— ¿Ponemos cara de niños recibiendo al maestro? ¿O le damos palmaditas en la espalda y le tratamos como a un igual?

TONY (*Lo mismo.*)—Como a un igual, como a un igual. Que se sienta cómodo, y nos confiese que lo suyo es bailar ye-ye. Abrele tú, Alicia; que se le alegren los ojillos.

ALICIA—No, hombre, no. Que le abra Pepe, que le conoce.

LORENZO (*Lo mismo, contagiado por el estado de ánimo*

general.)— ¡Que le abra quien sea, pero ya! ¡Se va a creer que no hay nadie!

PEPE (*Lo mismo.*)—Pues entonces, yo. En esta casa, "quien sea" siempre soy yo. (*Va hacia la puerta, pero antes de llegar se vuelve hacia el grupo, muy solemne.*) ¿Todo el mundo en sus puestos...? ¿Preparados...? Señores, atención: La generación perdida.

(Abre la puerta al mismo tiempo que cae el

TELÓN

Temas

una parabol de cada tema de # Scene

Jueves Examen del primer acto.

ACTO SEGUNDO

I

Mismo decorado, unas horas más tarde.

(La casa tiene ya todo el aspecto de desorden acogedor de una velada a altas horas de la noche. Antes de levantarse el telón, empiezan a oírse unas voces que cantan flamenco, acompañándose con palmas, en plena juerga. Mientras el telón va levantándose, los vemos bailar y cantar en corro. Al grupo que hemos conocido en el primer acto se ha unido ahora NACHO AGUILAR. Es un hombre de unos cincuenta años, de muy buen ver, y que se esfuerza por estar de mejor ver todavía. Es de los que se visten "joven" y aprenden los nuevos ritmos en cuanto salen. Bajo un barniz de elegante cinismo, del que le cuesta mucho trabajo desprenderse, hay un hombre cordial que aún conserva algunas ilusiones y que, a falta de una vida propia que le llene, se interesa profundamente por la de los demás. NACHO, acompañado de ALICIA, de TONY y de PEPE, canta y baila flamenco, muy divertido. PILI está un poco aparte, poniendo muy bajito discos que aparenta escuchar con mucho interés. LORENZO está sentado frente al telescopio, muy ensimismado. Se ha quitado la chaqueta, se ha aflojado la corbata y está un poco despeinado. A todos se les nota que han bebido, pero a LORENZO se le nota más que a nadie. Sigue comportándose correctamente, pero está un poco como en una nube, participando sólo a ratos del ambiente general. Poco después de levantarse el telón, NACHO renuncia al baile y va a dejarse caer, reventado, sobre una butaca.)

NACHO—Me rindo. Yo ya no doy más . . . Me rindo . . . termino este whiskyto y me voy.

(Al retirarse NACHO, los demás, que estaban igual de reventados, o más, que él, se van dejando caer también, sin aliento, por los asientos que pillan a mano. Alguno en el suelo.)

PEPE *(Medio muerto.)*— ¡Olé ahí los viejecitos valientes, sí, señor . . . ! ¡Qué tío . . . ! Creí que iba a acabar con todos.

(Ríen. NACHO más que nadie.)

NACHO *(A Pepe.)*—Muchos contratos vas a firmar tú como no me tengas más respeto.

(PEPE se arrodilla frente a él y se prosterna, a lo moro.)

PEPE —Manda, oh amo, y tu vil esclavo te obedecerá.

ALICIA (*Abanicándose con una revista.*)—Para mí que este chico es un poco interesadillo.

PEPE (*Justificándose.*)—La peseta es la peseta.

TONY (*Sirviendo una nueva ronda de whisky.*)—Pues levántate y ve a por más hielo. Anda, esclavo.

PEPE (*Incorporándose.*)—No, perdona. Yo no admito órdenes más que de don Ignacio. (*A Nacho.*) ¿Usted me manda ir a por hielo, don Ignacio? (*Muy rápido, sin esperar respuesta.*) ¿No? (*A Tony.*) Pues vas tú, te ha tocado.

(*TONY, resignado, coge de la mesa el cubo del hielo, se va a la puerta del apartamento, la abre y sale.*)

NACHO (*Volviéndose, extrañado, a mirarle.*)—Pero ¿dónde va por el hielo?

ALICIA—Como la casa es tan pequeña, tengo la nevera en casa de un vecino.

NACHO (*Inocente.*)—No puede ser.

ALICIA (*Riéndose.*)—Es que esta mía hace cubitos una vez al día y se planta, y como en el piso de abajo vive un matrimonio muy simpático, con una nevera muy grande . . . , pues eso.

NACHO (*Inspeccionando con la mirada el ambiguo mueble, pintado de flores de colores violentos, que acaba de señalar Alicia.*)—Así que eso es una nevera . . .

PEPE (*Solemne, dogmático.*)—Así es la juventud de hoy, don Ignacio. Las cosas no son nunca lo que parecen. (*Por Lorenzo.*) Fíjese usted en esto, por ejemplo. Uno diría que es un honrado ingeniero, disfrutando cual niño al escrutar el firmamento en su día de asueto, ¿verdad? Pues de eso, nada. Es un sátiro. Está espiando cómo se desnudan las chicas de enfrente para luego cruzar y matarlas.

LORENZO (*Sin apartar para nada el ojo del telescopio.*)—Tururú.

NACHO (*Bromista, fingiendo levantarse interesado.*)—¿Cómo? ¿Que hay chicas en la casa de enfrente?

PEPE (*A Lorenzo.*)—Pues entonces, ¿qué miras tanto rato? Cuéntanoslo, por lo menos.

LORENZO (*Haciendo sitio a Pepe frente al telescopio.*)—Ven.

PEPE (*Sentándose a su lado.*)—A ver.

NACHO (*Cumplido, a Alicia.*)—¿Sabéis que lo he pasado muy bien? No me esperaba yo una reunión tan simpática.

ALICIA (*Que se ha acomodado en el diván, sin zapatos y abrazándose las rodillas.*)—Gracias.

NACHO—En serio te lo digo. Está uno tan harto de locales públicos, de ambientes ficticios... (*Pili, que ha sacado una polvera de su bolso y se está retocando el maquillaje, se vuelve a mirarle, de reojo, irónica. El no se da cuenta.*) Yo siempre lo digo: A mí, donde me gusta estar, es con los jóvenes. (*Echando una mirada en torno.*) Y tienes una casa muy mona..., muy graciosa. De verdad, muy graciosa.

ALICIA—¿Verdad que sí?

NACHO—Me encantan los interiores así, acogedores, simpáticos..., con cierto aire provisional.

ALICIA—Pues tienes que ver el piso de Tony, ése sí que te va a hacer gracia... Bueno, ¡el piso! Digo el piso por llamarle algo. Es una especie de sótano extraño, que no tendrá más de cinco metros cuadrados, pero lo ha puesto como...

NACHO (*Interrumpiéndola, extrañado.*)—Pero ¿Tony no vive aquí?

ALICIA—No, aquí vivo yo.

NACHO—Qué gracia. Y yo que creí que estabais casados, no sé por qué.

LORENZO (*Desde su rincón junto al telescopio.*)—Pues le pasa a usted al revés que a todo el mundo.

NACHO—¿Cómo al revés?

LORENZO—Todo el mundo cree que *no* están casados.

NACHO (*Sin entender.*)—Claro...

ALICIA—De claro, nada, porque *sí* lo estamos.

NACHO—¿Estáis qué?

ALICIA—Casados.

NACHO—¿Cómo que estáis casados...? ¿El uno con el otro?

ALICIA (*Riéndose.*)— ¡Claro!

NACHO (*Que se está haciendo un lío.*)—Bueno, vamos a ver, ¿tú no me acabas de decir que Tony no vive aquí?

ALICIA (*Riéndose.*)— ¡Y no vive!

NACHO (*Renunciando.*)—No entiendo nada.

PEPE (*Por lo que ve en el telescopio.*)— ¡Caray!

LORENZO (*A Pepe, satisfecho.*)— ¿Qué?

PEPE— ¡Qué maravilla, tú!

PILI (*Retocándose los labios.*)—Son así de originales.

NACHO—Entonces, ¿por qué?

ALICIA—Por qué, ¿qué? ¿Por qué estamos casados o por qué no vivimos juntos?

NACHO—Las dos cosas.

ALICIA—Pues estamos casados porque nos queremos. Bueno, quiero decir que nos casamos porque nos queríamos . . .

NACHO (*Interrumpéndola.*)—Hasta ahí lo entiendo. ¿Y después?

ALICIA (*Llena de razón.*)—Después, nada. No vivimos juntos porque no nos gusta.

NACHO—Eso ya no lo entiendo. ¿Qué es lo que no os gusta?

ALICIA—Vivir juntos. Es una lata.

NACHO—¿Una lata?

ALICIA—¿Por qué hay que vivir según un patrón? En la Edad Media, los caballeros se iban a la Guerra de los Cien años y nadie les decía que estaban menos casados por eso, ¿no? Pues nosotros tampoco estamos menos casados por vivir como nos da la gana.

NACHO—¿Y el abandono del hogar conyugal?

ALICIA—¿Qué es eso?

NACHO—Un delito. Penado por la Ley.

ALICIA—¿Qué Ley?

NACHO—Pues, hija, no sé. La Ley. La Ley que rige esas cosas.

ALICIA—Si Tony y yo viviéramos en un castillo muy grande y yo tuviera mis habitaciones y él las suyas, la Ley no tendría nada que decir, supongo. Pues imagínate que Madrid es un castillo muy grande y . . .

PEPE (*Siempre pegado al telescopio, metiendo baza por hablar.*)— Castillo famoso.

ALICIA (*A Pepe.*)—Tú, a callar. (*A Nacho.*) Nadie abandona nada, es que nuestro hogar conyugal da mucho de sí.

NACHO (*Casi convencido.*)—No, visto así . . .

ALICIA—¿Y por qué hay que verlo de otra manera? Cada cual se organiza como le parece. (*Explicando.*) Cuando Tony y yo nos casamos, vivimos juntos un año, y fue monstruoso.

NACHO—Os llevabais mal.

ALICIA—No especialmente. Pero estuvimos a punto de convertirnos en algo que nos horroriza.

NACHO—¿El qué?

ALICIA—Un matrimonio convencional.

NACHO (*Divertido, un poco irónico, bastante paternal.*)— ¡Espantoso!

ALICIA (*Asintiendo firme, convencida.*)—Espantoso.

PILI (*Cerrando ruidosamente su polvera, casi agresiva.*)— ¡Espantoso!

(Desde su posición en el suelo, LORENZO alza los ojos y la mira, acusando la frase.)

NACHO— ¡Vaya! Veo que hay mayoría. *(Volviéndose hacia los chicos.)* Y los cabelleros, ¿qué opinan?

PEPE—Yo estoy viendo Júpiter.

LORENZO *(Encogiéndose de hombros.)*—No sé lo que es un matrimonio convencional.

NACHO—Yo tampoco. *(Se ríe.)* A mí, lo que me parece espantoso es el matrimonio, a secas.

ALICIA—Pues a mí, no. A mí me parece muy bien. Es una cosa que existe, una cosa natural: Dos personas que simpatizan la una con la otra, que se atraen la una a la otra, que se toman cariño . . .

PEPE—Ahí, ahí.

ALICIA— . . . y empiezan a tener intereses comunes, amigos comunes . . . Más tarde, recuerdos comunes . . .

PEPE—A veces, hijos comunes, incluso. Uno es mocito, pero lo ha oído decir.

ALICIA *(Asintiendo.)*—Casi siempre, hijos comunes. Hasta que acaban por ser la misma cosa. *(Resumiendo.)* El matrimonio es eso.

NACHO—Entonces, tú, ¿de qué estás en contra?

ALICIA—De todo lo demás.

LORENZO *(Poniéndose en pie y acercándose, interesado.)*— ¿Qué es lo demás?

II

(Durante todo este diálogo, PEPE sigue entusiasmadísimo con el telescopio, consultando de vez en cuando el mapa estelar. PILI, como no interesándose por la conversación, se ha puesto a recoger la mesa y a apilar los cacharros en la diminuta cocina.)

ALICIA—Las fórmulas. Las cosas que se dan por hechas sin que uno sepa por qué. Todas esas costumbres que acaban siendo cáscaras vacías. Tony y yo decidimos prescindir de todo eso. No queríamos vivir según un prospecto. Y te advierto que no fue fácil. Ya para la boda, tuvimos un montón de problemas. Por Tony, no nos hubiéramos casado de ninguna manera, él no es creyente, pero yo sí quería, y no te puedes figurar el "shock" que provocamos cuando dijimos que queríamos casarnos por la Iglesia, pero no por lo civil. Todavía estoy viendo al curilla de mi parroquia, que es un viejecito muy simpático, decir con los brazos en alto: " ¡El mundo al revés! ¡El mundo al revés! ", sin acabárselo de creer.

(NACHO se ríe.)

LORENZO—Todo eso eran ganas de haceros los interesantes. Esnobismos que no conducen a nada. (*A Nacho.*) ¡Como la ventolera que les dio de casarse solos!

NACHO (*Que lo está pasando muy bien.*)—¿Comó de casarse solos?

LORENZO—Sí, esa fue otra. Se casaron sin avisar a nadie. "Ya fijaremos la fecha, ya fijaremos la fecha," hasta que un día aparecieron muy sonrientes: "Nos hemos casado." Y se habían casado dos horas antes, vestidos de cualquier manera, y sin que fuera la familia ni nadie. Ya se puede usted imaginar el disgusto.

NACHO (*Irónico.*)—Sí, ¡ya me puedo imaginar!

LORENZO—La madre de ésta, volada, sin saber cómo decírselo a la gente. Claro, la mujer me decía: "Van a pensar que es mentira, que no se han casado ... ¡O peor! ¡Que se han casado con prisas ...! " No, no. Hay cosas que se hacen y cosas que no se hacen. Vivimos en una sociedad.

PEPE (*Sin apartarse del telescopio.*)—Estás muy visto tú, ¿eh? Te vas a quedar rancio un día de estos.

ALICIA (*A Lorenzo.*)—Precisamente ése era el caso. Que la sociedad nos importaba tres narices.

LORENZO—A mí me hacéis mucha gracia cuando decís esas cosas. La sociedad también eres tú, y también te beneficias de ello. El progreso está en otras cosas, ¡qué caray!

ALICIA—¿Ah, sí? ¿Dónde, por ejemplo? ¿En tu oficina, donde hacéis un original y seis copias cada vez que pedís que os compren tinta? ¿O en tu casa, donde se come paella todos los jueves para conservar las santas tradiciones de la raza? (*A Nacho.*) Tony y yo no queríamos que nos manejaran según un plan preconcebido. Desde el primer momento decidimos inventar nuestra propia vida, todos los días, y ser nosotros mismos, a costa de lo que fuera. Lo sometimos todo a revisión, absolutamente todo. No nos importaba equivocarnos si era preciso, pero equivocarnos por nuestra cuenta y riesgo, no por la de los demás. Y no sé por qué, la gente nos tomó una manía horrorosa. Hace tiempo que Tony ha roto ya definitivamente con su familia, y la mía nos trata como si fuéramos apestados y les diésemos mucha pena. Perdimos muchos amigos. (*Al pasar junto a Pepe, le revuelve el pelo cariñosamente.*) Pero ganamos otros mejores, y, sobre todo, nos ganamos a nosotros mismos, así que . . .

PILI— ¡Precioso! Yo creo que la debíamos aplaudir, porque desde luego le ha quedado redondo, ¿verdad? (*Pepe, al empezar a hablar Pili, aparta por primera vez su atención del telescopio y se pone a la expectativa. Entre los demás se crea una violenta tensión.*) Este tipo de discurso resulta siempre muy espectacular y muy lucido. Lo malo es que todo eso que ha dicho es mentira.

ALICIA (*Un poco cortada por la inesperada intervención de su hermana.*)— ¿Ah, sí?

PILI—Cuando uno pretende replantearse la vida desde el principio, no basta con hacer dos o tres cositas originales: Hay que jugarse el tipo y hacer tabla rasa de verdad.

PEPE (*Que se ha puesto de pie sin que nadie se fije en él y ha acudido al quite.*)— ¡Señores, todos boca abajo! ¡Habló el oráculo!

PILI (*Revolviéndose hacia Pepe.*)—Muy gracioso. Tú sueles ser el muchacho de la frase feliz, ¿no? El que invitan a todas las reuniones para que no decaiga la fiesta.

PEPE (*También hostil y por primera vez muy serio.*)—Sí, señora. Y tú eres la chica que quiere hacerse notar por encima de todo, la que habla en voz alta en los cines, llega tarde a los teatros y en los entierros quiere ser el muerto. ¿Me equivoco?

(*Aparece TONY.*)

TONY (*Entrando a tiempo de oír la última frase.*)— ¿En qué te equivocas?

PEPE (*Recogiendo velas de muy mala gana, y haciendo esfuerzos para adoptar de nuevo su tono festivo.*)— ¡Hombre, ya está aquí! Creíamos que habías ido por el hielo a Groenlandia.

TONY (*Enarbolando una botella de champán.*)—Sí, sí, pero mirad lo que traigo. Valía la pena tardar un poquito, ¿no?

NACHO— ¡Buena idea! Yo era el que tenía que haberla traído, pero como no me dijisteis . . .

TONY (*Interrumpiéndole, mientras deja sobre la mesa el champán y el cubo del hielo.*)—Nada. Tú eres aquí el invitado de honor y no tienes que traer nada. (*A Alicia.*) Se la he quitado a los de abajo, así que no había más remedio que darles un poquito de conversación.

NACHO—Pero ¿se la has quitado subrepticia o abiertamente?

43

TONY—Abiertamente, noblemente: Los he despertado, los he sacado de la cama, les he dicho que celebrábamos dos acontecimientos importantes y no han tenido más remedio que dármela.

NACHO—¿Celebramos dos? ¿Cuál es el otro?

ALICIA—Hoy es nuestro aniversario.

PILI—Y han tendido el puente levadizo de almena a almena.

TONY—¿Qué?

LORENZO (*Interviniendo rápidamente, como antes Pepe, para salvar la situación.*)—¿Y cuál es el uno?

ALICIA—¿Qué uno?

LORENZO—El otro. El otro acontecimiento importante.

NACHO—¡Hombre! Supongo que será nuestra unión comercial, ¿no?

TONY (*Cambia una mirada con Alicia, que se muerde los labios, entusiasmada.*)—Pero entonces . . . , ¿ya está? ¿Así de fácil?

NACHO (*Riéndose.*)—¿Qué quieres decir con eso de "así de fácil"?

TONY—Hombre, no sé . . . Es que todavía no me lo acabo de creer.

NACHO—Pues créetelo, créetelo. Y hazte a la idea de ponerte a trabajar mañana mismo como no has trabajado en tu vida . . . . ¿Qué esperabas? . . . Lo hemos hablado todo después de cenar, ¿no? ¿O te queda alguna duda?

TONY—No, no, a mí, no. Lo que me extraña es que no te quede a ti . . . ¿Estás seguro de que no te volverás atrás?

NACHO—Mira, Tony, cuando yo vine esta noche a tu casa . . . O a casa de tu mujer, como haya que decir, ya sabía de ti y de Pepito el Loco todo cuanto necesitaba saber: un espía, que suelo soltar por ahí a ver qué pesca, me había traído una cinta grabada por vosotros, la cinta me hizo acudir a un recital que disteis en un Colegio Mayor. Vi que había madera y me ocupé de que me localizaran a Pepe. Pepe me contó que sus canciones las componías tú, y aquí estamos. Ahora ya es cuestión de echarle publicidad al asunto desde mañana. A mí me gusta hacer las cosas así, en caliente. Mañana mismo, si queréis, os pasáis por mi despacho y firmamos los contratos.

TONY (*Entusiasmado.*)—¿Tú oyes, Pepe? (*Pepe está mirando por el cristal de la puerta de la terraza, molesto aún por sus palabras con Pili.*) ¡Pepe!

PEPE (*Volviéndose.*)—¿Qué?

TONY—Que si queremos firmar los contratos mañana, dice aquí, el señor.

44

PEPE—Ya os oigo, ya.

NACHO (*Extrañado.*)—No parece que te entusiasme la idea.

TONY (*Alarmándose.*)— ¡Eh! ¡Pepe! . . . ¿Qué te pasa?

NACHO—¿No te acaban de convencer las condiciones que os he propuesto?

PEPE—Sí, ya lo creo.

NACHO—¿Entonces . . . ?

TONY (*Dándole una fuerte palmada en la espalda.*)—Entonces, nada. Que está cansado el muchacho y . . .

PEPE (*A Nacho.*)—¿No te enfadarás si te digo una cosa?

NACHO (*Sonriendo.*)—A ver.

PEPE—Durante mucho tiempo he soñado con una oportunidad como ésta . . .

TONY (*Interrumpiéndole.*)— ¡Pues claro! Nosotros . . .

NACHO (*Interrumpiendo a Tony.*)—Déjale hablar.

PEPE—Me parecía que si alguien relacionado con la música me ofrecía un contrato, me iba a volver loco de alegría. Y ahora que lo veo hecho . . .

NACHO—Te da miedo.

ALICIA (*Alarmada por la actitud de Pepe.*)—¿Pero miedo de qué?

LORENZO (*Paternal.*)—Sí, hombre, sí. Yo te entiendo. Que el mundo ese del espectáculo es muy loco, muy inseguro. De pronto estás muy de moda, y de pronto no te hacen caso y te quedas . . .

PEPE (*Mirándole con asombro.*)—Nada. Ni una. No das ni una.

ALICIA (*A Lorenzo, colgándose de su brazo.*)—Tú no digas nada, ¿eh? Tú, calladito, que estás más guapo.

PEPE—Ahora que lo veo hecho, me doy cuenta de que lo que quiero en realidad es algo muy romántico y muy difícil.

NACHO—¿Y es?

PEPE—Cantar ante un auditorio compuesto por el mundo entero, y que al oír mis canciones, sienta lo mismo que yo al cantarlas. (*En otro tono.*) Por eso, lo que tú me ofreces, y que yo sé que es como para darse con un canto en los dientes, me ha parecido de pronto muy poco.

TONY—¿Cómo poco? ¿Qué dices, Pepe, qué dices? Estás borracho. Tómate un café, anda. Que le den un café a este chico . . . ¡Pero, hombre! ¿Tú te das cuenta de lo que esto significa? La popularidad, el dinero . . . (*Sin saber qué añadir.*) El . . . , el . . . , la . . . , la . . . ¡Hombre, Pepe!

NACHO (*A Pepe.*)—¿Y por qué no piensas que esto es simplemente el primer paso? Cantar para un humilde grupito de treinta millones de españoles, para empezar, no está mal.

PEPE (*Reacciona, se echa a reír y vuelve a adoptar, de intento, su personalidad habitual.*)—Pero ¿usted cree que triunfaremos, don Ignacio? ¿Usted cree que vamos a ser publicitables, televisables, filmables, grabables y, sobre todo, rentables?

ALICIA (*Tranquilizada.*)—Inaguantables es lo que sois.

PILI—¿Creéis que arriesgaría cinco céntimos por vosotros si no pensase que se iba a forrar a costa vuestra?

> (*Recrudecimiento de la tensión que se había intentado disfrazar al llegar TONY.*)

NACHO (*Tratando de tomarse la impertinencia deportivamente.*) —¿Qué le habéis dado a esta chica en la cena? ¿Filete de tigre?

PILI (*Feliz en su nuevo papel de acusadora de sociedades putrefactas.*)—¿No es verdad acaso?

NACHO—Desde luego que es verdad, hija mía. No creo que estos muchachos hayan pensado en ningún momento que yo era una institución de caridad, y tampoco creo que les hubiera gustado que lo fuera. Es evidente que si mi empresa arriesga dinero con ellos, es porque ellos prometen. Pero no veo lo que esto puede tener de pecaminoso. (*A los otros.*) ¿Vosotros sí?

PILI—¿Ellos? No seas ingenuo. Ellos, esta noche, no ven más que lo que a ti te parezca bien. Y si quieres usarlos de felpudo en algún momento, no creo que te pongan incovenientes tampoco.

NACHO (*A Lorenzo, echándose a reír.*)—¿Le has hecho tú algo para que lo pague así con los de alrededor?

III

LORENZO—Que yo sepa . . .

PILI (*Encogiéndose de hombros.*)—Yo no pago nada con nadie. Es que resulta muy divertido empezar a ver a la gente desde fuera.

NACHO—Mira, eso es interesante. ¿Desde fuera de dónde?

PILI—Desde fuera del juego.

NACHO—¿De qué juego?

ALICIA (*Burlona.*)—Del parchís.

NACHO—¿Cómo?

PILI—No le hagas caso, quiere ser graciosa.

PEPE—Y tú, ¿qué quieres ser? ¿El ama del cotarro?

dueño de la situación

LORENZO (*Haciendo de caballero andante con su desfasamiento habitual.*)—Oye, yo ya sé que esto de la camaradería es muy moderno, pero a mi mujer . . .

TONY—¡Cuidado! ¡A su mujer hay que hablarle con mucho respeto. No por nada, ¿sabes? Es que es *su* mujer.

PEPE—¡Ah . . . !

PILI—¿Y a la tuya? ¿Cómo hay que hablarle?

TONY—A la mía le puede hablar cada cual como le dé la gana, porque ella es lo bastante importante por sí misma para pararle los pies al lucero del alba.

PEPE—Apúntate un ocho.

ALICIA—Se agradece, se agradece . . .

LORENZO (*Avergonzado, mirando a Nacho.*)—Desde luego, le estamos dando a este señor la noche; le estamos poniendo en violencia . . .

NACHO—¿A quién? ¿A mí? ¡Me encanta oíros! Lo estoy pasando de maravilla. Nunca había visto tantos ejemplares juntos.

TONY—¿Ejemplares . . . ? ¿De qué?

NACHO—De la nueva raza. Sois como un muestrario. Cada uno un tipo.

TONY (*Con una risita incómoda.*)—No te entiendo.

NACHO—Pues es muy fácil. ¿No existe un problema racial entre la antigua generación y la nueva?

LORENZO—¿Ah, sí?

NACHO—Ya lo creo. Con todas sus consecuencias.

PEPE (*Chistoso.*)—¿Y nosotros qué somos? ¿Los blancos o los negros?

NACHO—Depende. Tú, por ejemplo, eres negro.

PEPE (*Tras una pequeña pausa.*)—Bueno, y ahora me lo explicas, ¿no?

NACHO (*Riéndose.*)—Sí, hombre, sí. Tú eres negro, de pura raza, pero pacifista. Te gustan tus ideas y quieres imponerlas por las buenas. En realidad, no pretendes imponérselas a los demás, quieres simplemente que te las dejen vivir. Estás en pro de la integración. Como Lutero King. Si tuviera que escoger, es posible que de todo el grupo me quedara contigo.

(*Va despertándose el interés de los demás.*)

PEPE (*Satisfecho.*)—Gracias.

NACHO—Alicia es muy parecida a ti, pero más idealista. Ella va por el mundo con pancartas, y gritando que su raza es estupenda, dejando que le tiren piedras, sin mover un dedo para defenderse, sin hacer daño a nadie, pero sin volverse atrás, nunca, por nada. Yo diría que es de la especie de Ghandi. Es una lástima que no estéis casados. Quiero decir los dos, el uno con el otro.

TONY— ¡Hombre . . . !

NACHO (*Volviéndose hacia Tony, encantado de que acuse su frase. La ha dicho precisamente con esa intención. El es, en realidad, quien más le interesa, y todo cuanto le dice, destinado a provocarle, no consigue ocultar este interés más que a los ojos del propio Tony, que cae constantemente en la trampa.*)—Sí, porque tú eres como los Panteras Negras, y estoy seguro de que le confundes el espíritu con ideas agresivas que ella no tiene: "Somos una raza superior, Alicia. ¡Utilicemos a los blancos para luego quitarlos de en medio! " Fíjate en vuestra última canción, por ejemplo. La letra de Pepe habla de un mundo nuevo, ideal, poético . . ., pero tú le has puesto redobles de tambor, como a una marcha militar. Conozco muy bien a tu grupo. Tenéis resentimiento contra los que no son como vosotros, y haríais cualquier cosa por humillarlos.

TONY (*"Fair play."*)—Me estás poniendo a caldo.

NACHO—¿Me equivoco mucho?

PILI (*Riendo, con una risa que tiene mucho de nerviosa.*)— ¡No! ¿No te equivocas nada! ¡Pero nada, nada! ¡Has dado en el clavo . . . (*Interesándose de pronto y acercándose a Nacho.*) ¿Y yo qué soy? ¿Blanca o negra?

NACHO (*Sincero.*)—Tú eres un caso mucho más interesante.

PILI (*Halagada.*)— ¿Ah, sí?

NACHO—Tú eres un judío converso. Con todas las características: Fanatismo, intransigencia, odio a todos los que no se han convertido o no lo demuestran lo suficiente. Y estás a punto de inventar otra vez la Inquisición. " ¡Todos los que no hagan tabla rasa, a la hoguera! " (*En otro tono.*) Yo también tengo lo mío, ¿eh? No creáis que no me voy a meter en el lote.

PILI—Tú serás blanco, claro, pero de los que dan la vida por las razas sojuzgadas, o algo así. Una especie de misionero, ¿no?

NACHO—No. Y es una pena, porque es bonito eso que has dicho. No; yo he sido, de siempre, un mestizo. Y las he pasado de a kilo, como todos los mestizos. A los veinte años no tenía nada que ver con los de mi generación, pensaba como pensáis vosotros ahora . . . Cuando pensáis, claro . . . Yo también creía que había que reinventarlo todo, que empezar de nuevo a cero . . . No tenía nada que ver con los que me rodeaban, y, por supuesto, me lo hacían notar. Cuando fuisteis llegando vosotros, me sentí compensado: ¡Los míos! ¡Estos sí que son los míos! Pero tampoco. Vuestra aparición me pilló tarde. En seguida os dais cuenta de que no soy uno de "los otros," pero no acabáis de aceptarme como uno de los vuestros. Y en el fondo tenéis razón, porque no lo soy del todo.

LORENZO—¿Y yo?

(No ha podido evitar un tono de suficiencia. NACHO le mira, dispuesto a cargárselo, con una sonrisa cordial.)

NACHO *(Brindándole a los demás el tiro de gracia.)*— ¡Pero, hijo mío! Lo tuyo está clarísimo: Tú eres un salto atrás.

LORENZO *(Queriendo mostrarse buen perdedor.)*—Y eso será malo, ¿no?

NACHO—Fatal. *(Por los otros.)* Estos, mal que bien, se irán defendiendo, cada uno a su modo, pero tú y yo estamos listos . . .

PILI—Bueno, cuando este señor termine su conferencia, que naturalmente tiene ensayadísima . . .

LORENZO *(Interrumpiéndola.)*—Pero, Pili, por Dios . . .

PILI— ¡Déjame en paz! ¿No has oído que soy un converso fanático? Yo acabé de raíz con los convencionalismos y con las fórmulas sociales, ¿te enteras? ¿Te vas a enterar de una vez?

ALICIA—Si sigues dando esas voces, se va a enterar él y todo el barrio.

PILI— ¡No me digas que te preocupa! ¿No quedamos en que te importaba un rábano lo que pensaran los demás?

ALICIA—¿Qué? ¿Que ahora me toca a mí?

TONY—La chica tiene que hacer labor de denuncia. ¿No os recuerda a Nathalie Wood en "Rebelde sin causa? "

LORENZO *(Disculpándose, a Nacho.)*—Es todo ese whisky. Ella no está acostumbrada a beber.

NACHO—Te advierto que, al ritmo que llevamos esta noche, no estoy acostumbrado ni yo.

ALICIA—Dímelo a mí, que ya llevo tres con éste.

PEPE— ¡Cuidado, cuidado! Que Pepita Grillo nos va a hablar del alcoholismo en las sociedades burguesas . . . ¿O no has llegado a esa lección todavía?

(PILI va a contestar algo, pero NACHO interviene a tiempo, enarbolando una botella de champán.)

NACHO—Hablando de alcoholismo, ¿no·íbamos a brindar?

ALICIA *(Secundando la maniobra de Nacho.)*—Eso, ¡a brindar, a brindar . . . ! Tony, saca unas copas de ese armario, ¿quieres?

(Se organiza un revuelo general.)

TONY—Ah, pero ¿hay copas de champán y todo?

ALICIA—Hay cuatro. Tú y yo brindaremos en vaso.

NACHO (*Levantando una mano.*)—Yo pido un vaso.

TONY (*En tono de barman.*)— ¡Vaso para el señor . . . ! ¿Son éstas las copas, Alicia? Lamento darte un disgusto, pero hay una rota.

PEPE— ¡Marchando, otro vaso para mí!

LORENZO—Yo creo que deberíamos beber en vaso todos y así no habría problemas.

PEPE—Tú y tu manía del orden . . .

LORENZO— ¿No tengo razón?

ALICIA—Sí, hijo, sí. (*Dándole una servilleta.*) Tú ve abriendo la botella, con mucho taponazo, a ver si nos trae suerte.

(TONY reparte los vasos. LORENZO abre la botella de champán con un taponazo que todos vitorean o aplauden, acercando sus vasos para que les sirvan. TONY levanta su vaso para proponer el primer brindis.)

TONY—Señoras, caballeros, jóvenes, niños, peces, monstruos, amigos todos . . . ¡Por la razón social Nacho and Pepe and Tony, y por sus triunfos!

(Hacen chocar los vasos y beben. NACHO propone un segundo brindis.)

NACHO—Tendríamos que haber brindado primero por la hermosa dama homenajeada, como se hacía en mis tiempos.

PEPE—Esos tiempos tampoco los has pillado tú, no presumas.

NACHO—Es igual, no me estropees el efecto. (*A Alicia.*) Señora, brindo de todo corazón por su honradez y buena fe ante nuestra confusa época, y hago fervientes votos por la felicidad de su versión particular del matrimonio.

(Todos levantan los vasos, pero, cuando van a brindar, los interrumpe PILI.)

IV

PILI—Yo propongo un brindis mucho más interesante.

(Se produce una breve pausa de expectación. NACHO mira a PILI con interés de entomólogo; ALICIA, esperando con resignación una nueva salida de pata de banco de su hermana; LORENZO, temiéndola, y tanto PEPE como TONY, realmente alarmados. Durante todo este acto, hay una clara inteligencia tácita entre PEPE y TONY, pendientes ambos de lo que pueda hacer PILI.) expectantes los dos

TONY (*Yendo muy decidido hacia Pili.*)—Bueno, tú ya estás borrachita del todo, ¿eh, rica? Así que no bebas más, y no des dar la lata más la lata. (*Le quita el vaso.*) Trae. (*Volviéndose de nuevo hacia los otros.*) Hala, y ahora . . .

PILI (*Sonriendo.*)—Estás muerto de miedo, ¿verdad, Tony?

PEPE (*Decidido a echarle un capote a Tony y a salvar la situación como sea.*)—Muertos. Muertecitos de miedo estamos. ¿No nos ves temblar? Mira, tiritando nos tienes a los cinco.

(Pero ya es tarde. Por primera vez, ALICIA ha oído una campana de alarma.)

ALICIA (*Enfrentándose a su hermana.*)—¿Por qué iba a tener miedo Tony?

PILI (*Desviando la mirada.*)—Pregúntaselo a él.

ALICIA (*Obligándola a mirarla.*)—Te lo pregunto a tí.

(TONY vuelve a acercarse al grupo formado por ALICIA y PILI, y trata de apartar a ALICIA.)

TONY—Porque tiene la noche la niña. ¿No ves que tiene la noche? "A ver qué digo para que me miren todos," y abre la boquita y suelta lo que sea. Anda Lorenzo, sé buen chico, llévate a tu señora y que descanse, ¿eh? A ver si descansamos los demás de paso.

PILI (*Echándose a reír.*)— ¡Qué noche estás pasando, pobrecito mío! Empiezo a pensar que valía la pena todo, con tal de verte bailar así en la cuerda floja. El, ¡tan brillante, tan seguro, tan iconoclasta! , asustadísimo y queriendo aguantar el tipo como sea . . . En el fondo, me das más penita . . .

(Tony ha renunciado ya a paliar el efecto de las frases de PILI. La mira, entre furioso y consternado.)

ALICIA (*A Tony, empezando a perder el control.*)— ¿Qué dice?

LORENZO (*Todavía fuera de onda.*)—Sí, ¿qué dices, Pili, qué dices? Ya está bien, ¿no? No me parece mal que un día se tome uno unas copas y diga tres tonterías, pero es que te estás pasando. ALICIA (*Histérica.*)– ¿Qué dice, Tony?

PILI (*Irónica.*)–Pero ¿cómo? ¿No te lo ha contado? Y yo que creía que os lo contabais todo . . . ¿No se lo has dicho, Tony? ¿No le has dicho que esta última semana la has pasado conmigo en La Coruña?

(*La "situación difícil" ya se ha producido abiertamente y nadie intenta disfrazar ni paliar nada. NACHO va a sentarse discretamente aparte, en una butaca, llevándose su whisky y su cigarrillo recién encendido. PEPE, tras su fallida intentona de arreglo, se retira también junto a NACHO. Cambian una mirada. PEPE le insinúa, por gestos, que deberían marcharse, pero NACHO no quiere saber nada y se queda donde está: aparte, pero pendiente de la escena. LORENZO no ha conseguido entender lo que acaba de ocurrir. El significado de la frase de PILI aún no está claro para él. Observa la escena desconcertado.*)

TONY (*A Alicia, contra toda evidencia.*)–Es mentira.

ALICIA (*Echándose a reír de pronto.*)– ¡Qué bonito! (*A Tony, como si éste acabara de gastarle una broma.*) ¡Qué conseguido, tú! (*Burlonamente solemne.*) Parecemos la Orestiada.

(*Su intento de frivolizar la situación, de mostrarse "europea," es absolutamente patético, mucho más patético dada su juventud y su aspecto de desamparo.*)

(*Desolada de pronto, con los ojos llenos de lágrimas.*) ¿Tenía que ser mi hermana precisamente . . . ? Sí, claro, *tenía* que ser mi hermana. Tú no te andas con tonterías, tú, a lo grande. (Estallando, sin poder más.) ¿Y por qué no mi madre, ahora que lo pienso? La mujer está de buen ver todavía. Un poco arrugadilla tal vez, pero arrogante. Y lleva ya diez años viuda. ¿Quién te dice . . . ? (Gritando, completamente fuera de sí.) ¡O las dos! ¿Por qué no las dos?

TONY (*Dulce, como quien acaba de hacer daño a un niño sin querer.*)–Alicia, no desbarres. Después hablaremos de esto. Ahora . . .

ALICIA–¿Desbarrar? ¡Pero, Tony! ¿Qué quiere decir desbarrar? ¿Es que hay cosas que no pueden hacerse? ¿Cuáles? ¿Dónde está el límite, Tony? ¿Donde lo pones tú? Acláramelo, por Dios, porque te juro que ya no sé que pensar. ¿Qué es lo bueno y qué es lo malo, Tony? Me empieza a parecer que tú tampoco lo sabes. Me empieza a parecer que me había hecho una imagen demasiado bonita de ti.

TONY–Escucha . . .

ALICIA (*De nuevo desgarrada.*)—¿Para qué? ¿Qué me vas a contar? ¿Que toda tu grandiosa idea de una nueva forma de vida se reduce a irte a acostar con mi hermana?

LORENZO (*Galvanizado por fin por la última frase de Alicia, se abalanza sobre ella y la sacude por un brazo.*) ¡Pero si es mentira! ¿No te das cuenta de que es mentira, idiota?

TONY (*Agarrando a su vez a Lorenzo y apartándolo bruscamente de Alicia.*)— ¡No la toques!

LORENZO (*Golpeándose contra algún mueble de resultas del empellón, pero sin acusarlo, como si no lo hubiera notado, como si no viese siquiera a Tony.*)—Es mentira. Son ganas de epatar. Nada más que ganas de epatar, ¿no lo entiendes? Pili no es capaz de una cosa así. Te lo digo yo. Pili es más infeliz que un cubo. Habla por hablar. No sabe lo que dice. Pero no es capaz ... No es capaz ...

TONY (*Reaccionando ante las protestas de Lorenzo, feliz, en cierto modo, de poder explotar por algún lado.*)— ¡Ah, no! , ¿verdad? ¡La santa esposa del probo ingeniero! ¡Incapaz de faltarle ni con el pensamiento! ¡Qué risa! ¡Déjame que te cuente mis impresiones sobre tu santa esposa!

LORENZO (*Lanzándose sobre Tony, fuera de sí.*)— ¡Cállate!

(*Pepe se interpone entre ambos, evitando que lleguen a las manos.*)

TONY— ¡No me da la gana! ¡Llevo muchos años aguantándote a ti y a tus rollos sobre "la falta de moralidad de todos esos bohemios," "el reblandecimiento de algunos sectores modernistas de nuestra sociedad," mientras me mirabas con cara de perdonarme la vida! ¡A mí y a Alicia! " ¡Qué pena, esta chiquita! De una familia buena, amante del orden ... " Y movías la cabeza como si la vieras arder en el infierno. ¿Qué pena por qué, imbécil? "Nosotros, nosotros evitaremos que esta sociedad degenere." ¿Quiénes erais "vosotros? " ¿Tu señora y tú? Pues ahí tienes a tu señora. Te la devuelvo para que la rifes. Me imagino que, a partir de ahora, te vas a quedar mudo.

LORENZO (*Deshecho, llorando como un niño.*)— ¡No has demostrado nada! ¿Te enteras? ¡No has demostrado nada! (*Por Pili.*) Esta no es más que una mujer, no es un grupo. No representa nada. Si es verdad que es una golfa, tú me habrás hecho polvo a mí, pero no habrás demostrado nada. ¡Y sigo pensando que no servís para nada, que estáis locos y que sois un peligro para la humanidad! ¡Y ahora lo pienso mucho más que antes! ¡Mucho más que antes!

(Hay una larga pausa. De pronto, el encanto de la violencia se ha roto y queda sólo la incomodidad de no saber cómo seguir. NACHO los mira sorprendido, un poco decepcionado de esta interrupción.)

NACHO *(Decidido a que aquello continúe, a que lo lleven hasta el final.)* — ¿Y por qué mucho más que antes? Tony no es más que un hombre, no es un grupo. ¿O vas a caer tú también en lo mismo? *(Mundano, un poco cínico, pero jugando al inocente.)* Bueno . . . , no os importará que intervenga, ¿verdad? *(No le contestan. No importa: El no esperaba que le contestaran.)* No, claro, no creo que os importe. En una situación normal, tal vez sí. Tal vez pecara yo de incorrecto al demostrar que sigo aquí. Pero ésta no es una situación normal. *(Sonriendo, absolutamente decidido a arrancarles la piel.)* Normal, que viene de norma . . . *(Nueva pequeña pausa. Más humano.)* ¿Sabéis por qué estáis ahora mudos, mirando al vacío y sin saber cómo continuar? Porque acabáis de romper un molde y os habéis quedado en el aire. Ese es el problema de romper los moldes: Que no se puede uno quedar en el aire indefinidamente . . . Os confieso que tengo verdadera curiosidad por ver cómo vais a salir de este atolladero.

PEPE *(A Nacho, rompiendo el silencio con cierta dificultad.)* — Yo creo que deberíamos . . .

NACHO *(Con mucha sorna, tratando de evitar, al precio que sea, que ellos tambien sean cobardes, que ellos tambien se dejen amilanar por las costumbres, las convenciones, las normas de siempre.)* *(Todo su discurso no es sino una parodia de los discursos aleccionadores y paternalistas que suelen pronunciarse en estos casos, y su único afan, con ello, es que la situacion continue su curso, que se atrevan a llevarla hasta el final.)* — ¿Marcharnos? . . . Sí, tal vez sí. Si las aguas vuelven a su cauce y decidimos todos volver a ponernos el uniforme de entes sociales, sí. Y quizá sea lo mejor, ¿eh? Lo más seguro. En estos casos, vale más no pasarse demasiado de rosca, no se sabe hasta dónde podría uno llegar. Jugar un poco a tirar de la manta, pase. Hacerse los valientes, pase. *(Todo esto mientras recoge sus cosas diseminadas aquí y allá: tabaco, encendedor, chaqueta, etc., desplegando gran actividad esperando que alguien salte de una vez.)* Pero con una cierta medida. Para todo hay que tener una cierta medida de prudencia. Una cierta medida . . . convencional. Así que vamos a carraspear, como cuando alguien ha dicho una inconveniencia durante un té—qué palabra tan preciosa, ¿no? Inconveniencia. Adecuadísima para una reincorporación a lo establecido—. Vamos, pues, a carraspear, a recoger nuestras cosas con cierta precipitación, entre comprensiva y turbada, y hagamos una salida honrosa, para que esta pareja pueda resolver a solas, en uno de sus dos hogares convencionales, su problema convencional, de una manera convencional. A partir de mañana, ya podremos volver a encontrarnos sin miedo a la situación desairada. Habremos convertido esta deliciosa velada en un tema tabú, y si acaso . . . , si acaso, haremos mención de ello de una manera paternal e indulgente, alegando que "nos tomamos unas copas y, claro, se armó allí una que para qué." Bueno, ¿nos vamos todos en bloque o lo hacemos por partes? Casi mejor por partes, que quede menos brusco. (*Inclinándose en dirección a Alicia, en plena farsa.*) Señora . . . (*Repitiendo la inclinación frente a Pili.*) Señora . . . (*Acercándose a Pepe caricaturizando una actitud de circunstancias, con mirada de circunstancias, tono de circunstancias, etc.*) Te espero en el portal, procura despachar pronto.

TONY (*Que hace rato que le mira, habiendo descubierto su juego.*)— ¡Cómo se escucha, el tío! Parece un loro loco. Cállate ya, ¡si está clarísimo que no te piensas ir! (*Nacho suspira aliviado y vuelve a dejar su gabardina sobre algún mueble.*) No me importa que me llamen convencional. Como no me ha importado nunca que me llamaran "snob." No me importa nada lo que me llamen, sea lo que sea.

NACHO—Eso, hijo mío, lo has demostrado ampliamente.

> (*ALICIA se ha sentado en el diván, llorando en silencio, como agotada. PEPE y PILI, pasivos, son los que están más incómodos. PILI acaba por tomar una decisión repentina y se mete en la alcoba. LORENZO se ha ido durante el discurso de NACHO sin que nadie se dé cuenta.*)

V

TONY—Y tampoco me importan las frases pretendidamente oportunas de un señor pretendidamente ingenioso, empeñado en procurarse emociones fuertes a costa de los demás.

NACHO—¿A esto le llamas tú una emoción fuerte? Cómo se ve que eres muy joven . . .

TONY—De lo que sí empiezo a estar un poco hasta las narices, es de que hayas decidido repartirme a mí el papel del malo, como en las películas antiguas. Desde que has entrado por esa puerta la has tomado conmigo, y llevo toda la noche deseando decirte que otra de las cosas que me importan un rábano es tu opinión. (*Volviéndose hacia Alicia, con brusquedad.*) Y la tuya también, por si te interesa saberlo. (*Alicia le mira, sorprendida.*) No me merece ningún respeto nada de lo que has dicho antes.

NACHO (*Sin cejar en su afán de obligar a Tony a sincerarse.*)—Pero, ¿hay algo que te merezca a ti respeto?

TONY (*Harto.*)—Sí. La gente que sabe callarse alguna vez en alguna parte. (*De nuevo a Alicia, rápido.*) ¿Así que la pobre niña ha visto sus ideales pisoteados y ha empezado a sentir cómo se tambaleaba el ídolo? ¿No es algo así lo que has dicho? Pues permíteme que me ría. Si hubieran venido a contarte que había asaltado un Banco, o que había cosido a puñaladas a un ciudadano, me habrías ayudado a esconderme, y luego te habrías escapado conmigo, pero habiendo una cama de por medio, entonces ya, ¡anatema! ¡Mis ideales, profanan mis ideales! (*Nacho se ha vuelto a sentar, le escucha con profundo interés.*) ¿Cuáles son exactamente tus ideales, guapa? ¿Parecidos a los de tu cuñado, por un casual?

NACHO (*Mira buscando a Lorenzo, y comprueba que se ha ido.*)—No está. Como comprenderá, el suyo no es un carácter como para quedarse a oír el brillante epílogo que le estás dando al asunto. A mí, en cambio, me está interesando muchísimo. Dime una cosa (*Sabiendo qué es exactamente lo que Tony siente.*), ¿por qué no le dices a tu mujer que estás hecho polvo, y que lo sientes?

PEPE (*Que ha comprendido el juego de Nacho y se decide a seguirlo.*)— ¡Quia! Es superior a sus fuerzas. Esto es muy de Tony. Cuando se siente a disgusto consigo mismo, reacciona en contra de los demás y nos insulta.

NACHO—Sí, es una actitud frecuente en . . .

TONY (*Estallando, con los nervios deshechos.*)— ¡Que os calléis ya! ¡A ver si os enteráis de una vez que esto no es un coloquio! ¿Qué pasa? ¿Que me queréis oír? Pues os voy a dar gusto. Me vais a oír. Yo no fui a la Coruña a ver a Pili. Fui a ver a Lorenzo. A pedirle un favor. (*Alicia levanta los ojos, extrañada.*) ¿Te extraña, verdad? Pues no te extrañe. Me costó mucho trabajo, desde luego, pero lo hice. Me ofrecían la oportunidad de entrar como socio en Las Carrozas. Pero había que poner un dinero . . . Yo sabía que Lorenzo tenía unos ahorros y que estaba buscando dónde invertirlos, así que hice de tripas corazón y le escribí. Me contestó que no veía el negocio muy claro y que quería saber más detalles. Le puse una conferencia para darle todos los que necesitara, y me dijo que "así, por teléfono . . ." Total, que me hizo ir a La Coruña. No me recibió en su casa, por supuesto. Me recibió en su despacho después de una antesala de media hora. Todo para decirme que si él quisiera exponer su dinero en un club nocturno, no me necesitaría a mí de intermediario. Luego me explicó lo absurda e insegura que era mi vida, y me despidió dándome palmaditas en la espalda, y asegurándome que guardaría silencio sobre mi visita. Como si yo hubiera ido a proponerle algo vergonzoso. Palabra de honor que sólo en aquel momento me di cuenta de que Lorenzo no había tenido nunca la menor intención de echarme una mano. Lo que él me quería echar era un sermón, y yo le había dado todas las facilidades. Fue entonces cuando entré en un teléfono público y llamé a Pili. (*Revolviéndose contra un posible ataque que ninguno de los otros tres inicia siquiera.*) ¡Ya sé que no es una reacción muy loable! ¡No pretendo que os lo parezca! ... Sólo quiero contar cómo fueron las cosas. Le dije que había ido sólo por verla. Ella pudo no bajar, ¿no? Pudo mandarme a paseo y no bajar. Pues bajó ... En realidad, yo ya sabía que bajaría. Hace tres años que estoy viendo a Pili ponerme ojos tiernos. Hace tres años que sé que toda su honorabilidad no es más que fachada. ¿Qué? ¿Que no es muy bonito aprovecharse de eso? Bueno, pues no. No es muy bonito. Pero yo lo hice. Todo lo que quería era que Lorenzo se enterase, para demostrarle que la vida insegura y absurda era la suya; pero me bastó muy poco tiempo para comprender que yo era capaz de cualquier bestialidad en un arrebato y no de una canallada en frío, como la mayoría de la gente ... (*A Alicia.*) Hace dos días que volví a Madrid, pero no vine a verte. Estaba muerto de asco. Asco por Pili, asco por Lorenzo ... Y asco por mí. (*A Nacho, costándole mucho trabajo.*) ¡Sobre todo por mí, efectivamente! (*De nuevo a Alicia.*) Te lo hubiera contado, pero más adelante, dentro de unos días tal vez. (*Con evidente ingenuidad que hace sonreír a Nacho.*) Nunca pensé que Pili se presentase aquí y armase este "show." (*Recordando lo que ella ha dicho, volviendo a irritarse.*) ¡Y nunca creí que tú fueses a salirme con que te había decepcionado! ¡Decepcionado! Yo me decepciono a mí mismo todos los días de Dios, ¿me oyes? ¡Todos los días de Dios! Y me tengo que aguantar. (*Esta frase es, en realidad, todo lo que Tony está queriendo decir con rodeos durante todo su discurso, éste es su estado de ánimo.*) ¿Qué te crees? ¿Que eres la única en tener la cabeza hecha un lío? Yo la tengo hecha un lío desde que tuve uso de razón. Yo también me desespero cuando hago lo contrario de todo lo que digo, sin poder evitarlo. Cuando viene algún imbécil y me dice: " ¡Qué gracioso! , tú mucho meterte con la sociedad de consumo, pero lo primero que has hecho es comprarte un coche a plazos," yo le contesto lo que sea, para que se calle, pero me quedo pensando que es verdad lo que ha dicho, y preguntándome por qué no podré pasarme sin el coche. Y cuando me reprochan que se me llene la boca de paz mientras me salen chispas por los ojos en cuanto me llevan la contraria, yo contesto con una patada para ilustrar mi pacifismo, pero luego me paso tres días dándome contra las paredes, solo en mi casa, y gritando que, a pesar de todo, lo bueno es la paz, ¡a pesar de mí mismo, lo bueno es la paz! Y así con todo ... No es tan sencillo querer cambiar el mundo. Y lo más difícil de todo es cambiarse uno mismo. (*De nuevo directamente a Alicia.*) Y si crees que voy a renunciar sólo porque lleve una semana dándome asco, si crees que voy a renunciar porque en estos momentos te esté dando asco a ti, estás lista. Volveré a empezar desde el principio, y si tú quieres empezar conmigo, muy bien. Y si no quieres, pues ... , ¡pues muy mal, pero allá tú! (*Nacho le tiende un vaso de "whisky" que le ha estado sirviendo mientras hablaba. Tony lo acepta y le mira, agradecido.*) Era todo esto lo que querías hacerme decir, ¿no, mestizo? Pues se me acabó la cuerda. Ya no hay más.

PILI (*Que ha aparecido hace unos instantes en la puerta de la habitación, de nuevo vestida de viaje y con la maleta lista, y que estaba esperando una pausa para intervenir.*)—¿Interrumpo? ... En todo caso, voy a interrumpir poquísimo, sólo quiero pedir un taxi.

(Se acerca al teléfono, pero NACHO, solícito, le impide llamar.)

NACHO—No hace falta. Yo puedo llevarte hasta tu hotel. Si me lo permites, claro ... Porque supongo que irás a un hotel.

PILI—Supones muy bien. Y no sólo te lo permito, sino que te lo agradezco. (*Haciendo acopio de sus últimas fuerzas para mantener el tipo a base de descaro.*) Buenas noches a todos. Hasta que nos veamos en casa de mamá, en algunas Navidades. No sé si en las próximas o en las siguientes, pero alguna caerá, ya lo veréis. Uno siempre acaba reuniéndose con la familia en Navidades.

TONY—Márchate ya y no demuestres más tu ...

PILI (*Interrumpiéndole, dura.*)—Te recuerdo que si hay en el mundo alguien que no tenga derecho a levantarme la voz, ése eres tú.

TONY (*Cambiando de tono.*)—Perdona.

(La máscara de PILI se derrumba. Por unos segundos, la vemos tal como es, sin pose, sin cinismo, sin nada que la sostenga. Se queda mirando a TONY, que no la mira, con la expresión de sus verdaderos sentimientos. Por primera vez comprendemos hasta qué punto TONY le importa realmente. PILI es la única víctima auténtica del pequeño drama, y es así como tiene que aparecer en estos momentos. Está a punto de decir algo, pero reacciona a tiempo, recobrándose, y se vuelve hacia NACHO.)

PILI– ¿Vamos?

(NACHO, galante, coge la maleta de PILI, le hace una inclinación de cabeza y la deja pasar primero. PILI sale.)

NACHO *(En la puerta. A punto de salir él también.)*–Bueno, supongo que mañana querréis dormir, ¿no? Yo, desde luego sí querré, así que pasado mañana, a las diez en punto, os espero en mi despacho para la firma de contrato. *(A Pepe.)* Procura abrigarte el cuellito y cerrar la boquita ahora al salir, que tú ya no te perteneces a ti mismo. *(A Alicia.)* Señora, ha sido un placer. *(Sonríe.)* Y esta vez lo digo de corazón. Espero que volvamos a vernos pronto. *(A Tony.)* Y tú, ya sabes. Pasado mañana, a las diez. *(Fiel a sí mismo, Nacho no quiere marcharse sin decir la frase oportuna.)* Por cierto, quiero decirte algo que no te he dicho en toda la noche y que, en cierto modo, te debo: Eres un gran compositor, Tony. *(Tony le mira. Sabe que hay mucho más detrás de esa frase.)* De veras. En mi opinión llegarás muy lejos, pero me gustaría darte un consejo. *(Le guiña un ojo.)* Olvida los tambores.

VI

(TONY intenta sonreír. Despide a NACHO sin palabras, con una palmada en el brazo, como distraído. NACHO sale. Al quedarse solos ALICIA, TONY y PEPE se produce una pequeña pausa incómoda. ALICIA sigue en el diván, secándose los ojos con un pañuelo. TONY, en otro extremo de la habitación, mira para otro lado. PEPE los observa: todo cuanto va a hacer a partir de este momento es con el fin premeditado de ayudarlos a restablecer la normalidad.)

PEPE *(Poniéndose en pie para romper la pausa.)*–Bueno, otro que se va.

(Se dirige a recoger su abrigo.)

TONY–Espera. Todavía no sé si me voy a quedar aquí, o si me tengo que ir contigo.

ALICIA *(Reaccionando indignada.)*– ¡Ah! ¿Es que tengo que ser yo la que te pida que te quedes? ¡Encima! ¡Por mí te puedes ir con Pepe, o al mismo infierno! Pero no vuelvas, ¿me oyes? ¡No se te ocurra volver! ¡No quiero verte más! ¡En la vida!

(Mientras ella grita. TONY y PEPE se han mirado comprendiéndose. Los dos conocen a ALICIA, los dos saben que aquella explosión no significa absolutamente nada. TONY va hacia ella, PEPE espera

59

tranquilamente. TONY le tiende las manos a ALICIA y ella, todavía gritando, se echa en sus brazos.)

PEPE (*Dando el asunto por zanjado.*)—Bueno . . . (*Va a marcharse, pero de pronto duda, se vuelve a mirar a Tony, que sigue abrazado a Alicia, y piensa que tal vez no deba marcharse aún. Se acerca a ellos.*) ¿Puedo decir una cosa?

TONY (*Sin separarse de Alicia.*)— ¿Y si te digo que no?

PEPE—Te la escribo.

TONY (*Resignándose.*)— ¿Qué?

PEPE (*Suplicante.*)—Déjame el "seiscientos," hombre. (*Tony le mira sin contestar. Está dispuesto a seguirle en su afán por restablecer el juego, pero quiere que se esfuerce un poco más.*) Hace mucho frío. Seguramente va a llover. O a nevar. Y es casi de día, fíjate. A esta hora no hay taxis ni en el centro, conque aquí . . . (*Tony sigue mirándole impertérrito, esperando que ruegue un poco más.*) A lo mejor me atracan; en estos barrios, ya se sabe . . . Además, estoy malito, tengo tos . . .

(Tose con cierta dificultad.)

TONY (*Cediendo.*)—No lo tengo yo. Esta semana lo tiene Alicia.

PEPE (*Atacando hacia otro frente.*)— ¡Alicia! ¿Te imaginas lo que sería de mí, sí . . . ?

ALICIA (*Riendo entre las lágrimas.*)—No te esfuerces, a mí ya me has convencido. Coge las llaves, anda. Están en ese cajón.

(PEPE va donde le dicen y abre el cajón.)

PEPE—Aquí no hay nada.

(ALICIA recuerda de pronto, pero no sabe cómo decirlo.)

ALICIA—Ah, no, claro . . . No están.

PEPE (*Canturreando.*)— ¿Dónde están las llaves . . . ?

ALICIA (*Seria, incómoda.*)—Se las llevó Loren . . . , ése, esta tarde.

TONY—Lorenzo, Lorenzo. No lo digas entre paño y bola. Lo-ren-zo. Si hay algo que no tenemos que hacer de ninguna manera, es crearnos fantasmas.

ALICIA—Bueno, pues Lorenzo-Lorenzo se llevó las llaves-llaves del coche-coche.

PEPE—Pues me has hecho la pascua-pascua. (*A Tony.*) ¿Y tú, no tienes otras?

TONY—Sí, en mi casa.

PEPE—Que Dios te las conserve. ¿Y no tendréis un juego de repuesto por alguna parte, guardadito?

ALICIA— ¿Qué? ¿Que me tengo que levantar, no? . . . Desde luego tenerte a ti, es como tener un hijo tonto.

(ALICIA se levanta y entra en la alcoba. PEPE y TONY se quedan solos durante unos instantes. Hay todo un mundo en esos pocos instantes, hay miles de ilusiones comunes, hay miles de conversaciones anteriores.)

PEPE *(Sin esforzarse en seguir dando un tono festivo, en confianza, con esa ternura brusca que no se atreve a manifestarse abiertamente.)*—Qué noche, ¿no?

TONY *(Asintiendo.)*— ¡Jo!

PEPE *(Después de una pausa. No sabe qué decir, pero piensa que no hace falta. Tony le entiende.)*—A veces pasa, ¿sabes?

TONY— ¿El qué?

PEPE—Eso. Que mete uno la pata y se siente fatal durante una temporada. *(Tony le contesta con un bufido amistoso.)* . . . ¿A que ahora te encuentras mejor que estós días atrás?

TONY *(Le sonríe.)*—En cierto modo, sí.

ALICIA *(Saliendo de la alcoba.)*—Toma. Las llaves. Haz el favor de tratarlo con cariño, que el pobre coche parece la Posada del Peine. *(Pepe hace un gesto de saludo y va hacia la puerta.)* ¡Oye! Y mañana me hace falta, ¿eh? Que yo mañana trabajo.

PEPE *(Alarmado.)*— ¿Por la mañana?

ALICIA—No, esta semana me tocan las tardes. Y entro a las cuatro y media, así que a las cuatro quiero el coche aquí.

PEPE—A sus órdenes, señora. ¿Manda usted algo más?

ALICIA—Nada, ya se puede usted ir largando.

PEPE—Pues buenas noches, ¿eh?

TONY *(Jugando al impaciente.)*— ¡Adiós!

PEPE *(Resistiéndose a irse.)*— ¿Qué pasa? ¿Que no soy bienquisto? Cualquiera diría que estás deseando que me vaya. *(Alicia le empuja hacia la puerta.)* Si no me tenéis cariño, no tenéis más que decirlo. ¡Uno que se pasa la vida . . . !

ALICIA *(Cerrando la puerta tras él sin dejarle acabar.)*— ¡Ya!

TONY *(Por Pepe, con cariño.)*—Qué tío más sano . . . *(En otro tono.)* A lo mejor tenía razón Nacho.

ALICIA— ¿En qué?

TONY—En que deberías haberte casado con él.

ALICIA—Mira, Tony, frases idiotas, no, que estoy agotada y no tengo fuerzas para contestar.

TONY (*Pelma.*)—¿No lo hubieras preferido?

ALICIA—¿El qué? ¿Casarme con Pepe? Hubieras preferido tú casarte con Frank Sinatra? ¿No? Pues la pregunta es igual de estúpida.

TONY—Mujer, dilo bonito. Di que no hubieras querido casarte con nadie en el mundo más que conmigo.

> (*ALICIA se queda cortada durante un momento, luego viene a arrodillarse sobre el diván, frente a TONY.*)

ALICIA (*Muy seria.*)—No hubiera querido casarme con nadie en el mundo más que contigo. (*Se abrazan.*) . . . Lo conseguiremos, ¿verdad?

TONY—¿El qué?

ALICIA—Pues eso . . . Eso que queremos.

TONY (*Queriendo que se explique.*)—¿El qué?

ALICIA—Todo eso: arreglar las cosas, la gente, el mundo . . . Nosotros mismos . . .

TONY—Puede.

ALICIA—¿Tú no lo crees?

TONY—Sí, alguien lo conseguirá. (*Convencido.*) Y que mientras tanto hay que seguir intentándolo. (*Llaman a la puerta con unos golpecitos discretos.*) No te lo vas a creer, pero he oído llamar a la puerta.

ALICIA—Sí, yo también lo he oído.

TONY (*Bajando el tono.*)—¡Shhh! Como si no.

> (*Vuelven a oírse los golpes, menos tímidos que antes.*)

ALICIA—¿Tú crees que se habrá quedado en el descansillo todo este rato?

TONY—Es muy capaz. Con tal de hacer un chiste, es muy capaz.

> (*Ahora ya lo que suena es el timbre. ALICIA y TONY suspiran resignados. TONY se levanta a abrir y se encuentra con PEPE, que enarbola las llaves del coche.*)

PEPE—¿Quieres que te diga lo que puedes hacer con estas llaves?

ALICIA—¿Qué pasa? ¿Que no arranca?

PEPE—No arranca lo más mínimo. No está.

ALICIA—Ay, Pepe, hijo, qué tonto eres. ¿Cómo no va a estar? Está aparcado en la esquina, frente al supermercado.

TONY—¿Quién lo dejó frente al supermercado? ¿Tú?

ALICIA—Sí.

TONY—Entonces tiene razón éste. Lorenzo lo habrá dejado en otro sitio. (*Observando que Pepe se ha quitado la chaqueta.*) Si has subido con la más mínima intención de quedarte aquí, te advierto . . .

PEPE (*Interrumpiéndole y yendo hacia el teléfono.*)—He subido con la intención de pedir un taxi . . . Si queréis, puedo pagaros la llamada. (*Marca.*) Por favor, ¿podría mandarme un coche a Virgen de la Fuensanta, 22? Barrio de Nuestra Señora . . . ¿Desde dónde viene? . . . Bueno, qué le vamos a hacer . . . ¿Este? El 276 83 65. Señor Aguirre,. . . ¿Qué tardará, por favor? . . . Gracias.

> (*Cuelga.*)

TONY—¿Qué tardará?

PEPE (*Quitándose el abrigo.*)—Veinte minutos. Alicia, ¿por qué no eres una santa y nos haces café?

TONY—Si hay que aguantarte otros veinte minutos, soy capaz de hacer el café yo mismo.

PEPE—No querrás que espere en la calle, ¿no?

TONY—Yo sí.

PEPE (*A Alicia.*)—¿Y tú?

ALICIA—También.

PEPE—Ya lo sabía. Bueno, pues yo no. (*Se arellana cómodamente en el diván, estira las piernas, sonríe, mientras Alicia bosteza.*) Qué bien . . . Unos amigos simpáticos y cariñosos, un "living" acogedor y una taza de café calentito para terminar de celebrar vuestro aniversario . . .

> (*El ambiente se hiela. Por un segundo, parece que no va a haber manera de arreglarlo.*)

TONY (*Haciendo un esfuerzo por seguir natural.*)—Te he oído frases más felices que ésa.

PEPE (*Admitiendo.*)—Sí, verdaderamente . . . Yo también me he oído cosas más conseguidas.

> (*PEPE se pone en pie y se pone a pisotear con mucha saña cosas imaginarias.*)

ALICIA—¿Qué haces?

PEPE—Fantasmas. Mato fantasmas.

(Ríen los tres, cansados. Suena el timbre del teléfono.)

TONY—Ese es tu taxi, para decir que a provincias no vienen.

PEPE—No fastidies. *(Se levanta, coge el teléfono.)* ¿Diga? . . . Sí, es aquí, ¿por quién pregunta? . . . Un momento. (Pepe tapa el auricular.) ¿El coche vuestro está a nombre de Alicia?

TONY—Sí, ¿qué pasa?

PEPE *(Al teléfono.)*—Sí, dígame, dígame. ¿Matrícula . . . ? Pues sí, es nuestro coche, sí . . . Sí, un pariente nuestro . . . ¿Dónde está? . . . Ya, muchas gracias . . . Ahora mismo . . . Ahora mismo vamos para allá.

(Cuelga. No sabe cómo decirlo.)

ALICIA—¿Un accidente?

PEPE—. . . Supongo.

TONY *(Como si no pudiera creerlo.)*—¿Lorenzo?

PEPE—Sí. Lo han llevado a La Paz. *(Tony se precipita hacia la puerta. Pepe le detiene. Quiere decírselo de algún modo que no le haga daño.)* No corras . . . No . . . No hay prisa . . . Ya no hay prisa. *(La sensación de los tres es de aplastamiento. Ha sucedido algo innecesario, gratuito. Lorenzo—idea estaba muerto ya, había empezado a morirse hace años y años, obligarlo a morir físicamente es una crueldad inútil. Tanto Pepe como Tony son perfectamente conscientes de ello. Se miran. Pepe, aún junto al teléfono, comprendiendo que definitivamente va a quedarse allí toda la noche.)* ¿Ves tú? . . . A esto sí que no había derecho.

(En algún momento ha empezado a sonar, lejana, la música de la canción. ALICIA ha acudido junto a TONY, mientras lentamente va cayendo el

TELÓN

EJERCICIOS

ACTO PRIMERO

I

CUESTIONARIO

1. ¿En dónde tiene lugar la acción del primer acto? _atico, el apartamento de alicia_
2. ¿Qué clase de ambiente se refleja por medio del decorado? _de estudiantes_
3. ¿A quién vemos en escena al levantarse el telón y qué está haciendo? _alicia en una posición de yoga_
4. ¿Qué clase de música se oye? _Hindú_
5. ¿Le abre Alicia la puerta a Tony? _no_
6. ¿Cuáles son las características físicas y los rasgos psicológicos de Tony? _joven, constante mover, sano, alegre_
7. Según la autora, ¿qué es lo que tienen en común Alicia y Tony? _un codigo personal._
8. ¿Cuánto tiempo hace que no se ven Tony y Alicia? _ocho días_
9. ¿Qué es lo que hacen Tony y Alicia cuando ésta se humaniza? _se besan_
10. ¿Por qué no van a cenar juntos ni esta noche ni mañana? _tiene que trabajar_
11. Según Tony, ¿cuáles son los mejores pianos? _pianos de cola_
12. ¿Qué tendría que hacer Alicia si tuviera un piano como quiere Tony? _tendría mover._
13. ¿Qué le da Tony a Alicia? _cancion_
14. ¿Ha escrito Tony la letra de la canción o ha compuesto la música? _pepe_
15. ¿Qué le parece a Alicia la canción? _le gusta pero no mucho Tony_
16. ¿Qué tono adopta ella cuando él la insiste? _sarcastico_
17. ¿Qué nos revelan las lágrimas de Alicia? _no está contenta_
18. ¿Para qué sirve un pañuelo de bolsillo? _limpiar las lagrimas_
19. ¿Por qué empezó Alicia a practicar yoga y qué efecto le produce este ejercicio? _para hacer paz en su espiritu. No efecto._
20. ¿Por qué le pregunta Tony a Alicia si es feliz? _porque ella llora._
21. ¿Le contesta ella directamente o con una evasiva?

67

TEMAS

conflicto con Tony y Alicia   con Tony y Lorenzo

El inconformismo de Tony.con el ambiente que le rodea.
La vulnerabilidad de Alicia a pesar de su aspecto de mujer fuerte y
liberada. -revolucionaria

El uso del diminutivo por Alicia: ¿Qué implica?, ¿En qué
momentos lo usa?

Ejercicio

Sigan el modelo
Olvida los tambores
Olvídalos. No los olvides
  1. Dime la verdad
  2. Compra el piano
  3. Hazme el café
  4. Escribe la letra de la canción
  5. Practica el yoga
  6. Contesta el teléfono
  7. Descuelga el aparato
  8. Abre la puerta
  9. Ven mañana
  10. Recuerda nuestro aniversario

VOCABULARIO

abuhardillado — con los techos inclinados; en forma de desván
a disgusto con lo que le rodea — insatisfecho; descontento con el ambiente
apetecible — deseable
alcoba — habitación de dormir
(un) bolso — (una) cartera
campana aspiradora de humos — aparato de extraer los humos *stove pipe?*
color vivo — color llamativo; verde, rojo, etc. . . .
conduce — lleva
darse cuenta de — notar
déjate de bromas — habla en serio
de puntillas — andando en la punta de los pies para no hacer ruido
delirios de grandeza — ilusiones de millonario
desorbitada — fuera de órbita, exagerada
diván — una especie de sofá
echarlo a broma — no tomarlo seriamente
enfurruñada — enfadada, disgustada
el escaparate — la vidriera donde se exponen las cosas en una tienda
el medio ambiente — la atmósfera que le rodea
empapelada — cubierta de papel; decorada con papel
en divo de ópera — con el gesto de un cantante de ópera
enfriándose — poniéndose frío
encogerse de hombros — gesto de no importarle a uno algo
engolado — con voz pretenciosa, como si tuviera gola
¡fíjate! — ¡figúrate! , ¡mira!
hueco — vacío, sin nada dentro, cóncavo
irradia vitalidad — proyecta vida, vivaz, tiene mucha vida
la letra — los versos de una canción
le da palmaditas — le da con la mano suavememte en la espalda
leonera — cuarto de estar, desarreglado y sin pretensions
maquillada — con la cara pintada
marasmo — éxtasis, inmovilidad, quietud
mecedora — silla de brazos en la cual puede mecerse el que se sienta
me ahogo — me falta aire, me axfisio
menuda — delgada y no muy alta
mesa camilla — mesa redonda cubierta con una tela o paño
mimada — consentida
mimbres — material flexible que se usa para hacer muebles, ramas de mimbrera *wicker*
muchacho sano y alegre — joven de buen carácter, normal
muy decidida — con determinación, sin dudar, sin titubear
muy pegadiza — música fácil de recordar y de cantar   *catchy tune*
nebulosa — poco clara
nevera — refrigerador
no se inmuta — no se mueve, no reacciona, no cambia de posición
obtuso — poco inteligente, torpe, que comprende con dificultad, tardo

pantalón vaquero — pantalón de los vaqueros del oeste, jeans
propios juegos — juegos de su invención
qué disgusto — qué pena, qué desilusión
rara — extraña, diferente
se arrodilla — se pone con las rodillas en el suelo
se enajena — se sale de sí mismo
se infantiliza — se vuelve infantil
se humaniza — vuelve a su estado normal
· se retuerce — se da vueltas, sale del marasmo
secándose — limpiándose, quitándose, el agua
semejante música — tal música
sin perfilar — sin terminar del todo
sobreponerse — dominarse, controlarse
sin decepción — sin desilusión
supceptible de mejorar — con posibilidad de escribirla mejor
tiene un enorme encanto — tiene mucho atractivo personal
tocadiscos — fonógrafo
traviesa — juguetona, sagaz, inquieta, revoltosa
un dineral — mucho dinero
un flechazo — un amor a primera vista
un llavín — una llave pequeña
un montón — una pila, una gran cantidad
un ser pensante — una persona que piensa mucho, un introvertido
vaga — flota

CUESTIONARIO

1. ¿Quién llama por teléfono? *Pili*
2. ¿Desde dónde llama Pili? *Madrid*
3. ¿Qué le dice Alicia a Pili que haga? *que venga a su apartamento.*
4. ¿Qué le ha pasado a Pili con su marido? *han peleado, ha terminando*
5. ¿Qué piensa Tony del marido de Pili? *imbécil*
6. ¿Cómo explica Tony lo que les ha pasado a Pili y a Lorenzo? *Lorenzo tiene una amiguita*
7. ¿Está de acuerdo Alicia con esa explicación? *No*
8. ¿Cuánto tiempo hace que están casados Pili y Lorenzo? *cree que eso es* *dos años*
9. Según Tony, ¿cómo acabará el problema entre Pili y su marido?
10. ¿Qué dice Alicia que le falta a Tony al juzgarlos? *le falta caridad*
11. ¿Por qué no los quiere Tony? *ellos viven en otra edad*
12. ¿De qué le acusa Alicia a Tony? *va a ver a alguien esta noche*
13. ¿En qué insiste Alicia? *Tony haga un esfuerzo*
14. ¿Cuál es la razón que le da Tony a Alicia de no poder ir a cenar juntos? *tiene trabajar*
15. ¿Quién llama a la puerta? *el repartidor*
16. ¿Qué trae el repartidor? *un paquete de óptica*
17. ¿Qué le dice Alicia a Tony que ha traído el repartidor? *zapatos*
18. ¿Por qué cree Ud. que miente Alicia? *porque es una sorpresa para Tony*
19. ¿Por qué cree Ud. que Alicia está harta de su situación?
20. ¿Qué situación tiene Alicia con respecto a Tony?
21. ¿Está dispuesto Tony a vivir con Alicia? *Sí*
22. ¿Son estas recriminaciones del uno al otro algo nuevo? *No*
23. ¿Por qué se sorprende Alicia al abrir la puerta? *espera mala gana*
24. ¿Se sorprende Tony al ver a Lorenzo? *Sí*

TEMAS

Las personalidades de Pili y de Lorenzo, según lo expresa Tony.
El conflicto entre Lorenzo y Pili. Sus causas. *y entre Tony y Lorenzo*
Las relaciones entre Alicia y Tony.

Ejercicio

Escriban los tiempos gramaticales de los verbos en infinitivo que
correspondan al sentido de la oración, explicando las razones de su
uso.

1. Para que tu hermana *hacerse* un viaje, tiene que ser eso.
2. He quedado con Pepe para que *ir* a casa a comer.
3. Si quieres que nosotros *vivir* juntos, yo no tengo inconveniente.
4. Nadie te pide que tú *sacrificarse*.
5. Cuando tú *salir* del marasmo, vas a tener ocasión de oírlo.
6. Cuando tú me lo *regalar*, tendré un piano bueno.
7. Suspirando con paciencia, como si ella *tener* que explicarle algo.
8. Si tú *tener* que defender tus canciones, no lo harías.
9. Lo que me extraña es que tu hermana *ser* capaz de eso.
10. Me mira como si yo *ser* un bicho raro.

después de como si: *imperfecto de subjunctivo*

72

VOCABULARIO

acá — aquí
acuérdate — recuérdate
acurrucarse — poniéndose cómoda y encogida junto a él
¡ahí va! — expresión de sorpresa
al fin y al cabo — después de todo
aguantarlo — soportarlo
algo suelto — dinero suelto, monedas
a los demás — al prójimo, a los otros
alojamiento — sitio donde se vive o se queda por un tiempo
aprovechando — obteniendo provecho de esta circustancia
(un) arrebato — (un) impulso súbito, con pasión
bajezas — ruindades, cosas impropias de una persona de bien
catarro — enfriamiento
¡Cómo tú por aquí? — expresa sorpresa de verlo
cómputo mensual — la cuenta de cada mes
cuelga el auricular — corta la comunicación telefónica, termina de hablar
de reojo — de soslayo, de lado
descuelga el auricular — coge el teléfono
El Rey de Roma — Refrán: Hablando del Rey de Roma, por la puerta asoma
en su fuero interno — dentro de sí, realmente
estás a gusto — estás satisfecha, estás feliz
estás empeñada en — insistir en
estar harta de — estar cansada de, no poder más con
goza de buena posición — tiene mucho dinero, vive bien
horrorizar — repugnar, dar asco, horripilar
incorporándose — levantándose y sentándose
¡Jolín! — ¡Caramba!
la muletilla — la expresión que usa constantemente
ligar — empatar: (expresión muy usada dentro de la gente joven); quiere decir
        conocer a alguién que le gusta a uno, en un baile, una reunión etc. y
        establecer una relación
Lorenzo el Magnífico — (sarcásticamente) le compara con el noble italiano
mamarracho — imbécil
marido — esposo
más bien sí — mejor sí
Optica Soriano — una tienda de gafas o espejuelos para los ojos, en Madrid
por lo visto — por lo que se ve, por lo que parece
precipitadamente — con prisa, con rapidez
procurando — tratando, intentando
(una) pulsera — (un) brazalete
regordeta — un poco gorda
repartidor — el empleado de una tienda que lleva los paquetes a las casas
se ha peleado — ha reñido, ha regañado
seco — cortante, sin querer hablar

(un) sorbo — (un) trago, beber una pequeña cantidad de líquido
tapando el auricular — poniendo la mano sobre el auricular
taradita — un poco loca, con un pequeño defecto
tengo ganas de — tengo deseos de, quiero
(una) toalla — un paño para secarse
una amiguita — una amante, una mujer con la que tiene relaciones sexuales un
hombre casado
una conferencia — una llamada telefónica de larga distancia

ACTO PRIMERO

III

CUESTIONARIO

1. ¿Qué piensa Lorenzo de su mujer?
2. ¿Qué hace Tony mientras habla Lorenzo?
3. ¿Por qué se burla Tony de Lorenzo?
4. ¿En dónde pensaba Lorenzo que estaría Pili?
5. ¿Por qué le sorprende a Tony que Pili le haya dicho a Lorenzo lo que le ha dicho?
6. Según Lorenzo, ¿de qué es incapaz Tony?
7. ¿Quién llega en el momento en que Tony iba a salir?
8. ¿Cómo describe la autora a Pili?
9. ¿Desde cuándo ha estado Pili llamando por teléfono?
10. Según Lorenzo, ¿qué ha causado Pili con su viaje a Madrid?
11. ¿Le preocupa a Pili el "qué dirán"?
12. ¿Le preocupa a Lorenzo?
13. ¿Con quién está hablando Tony por teléfono?
14. ¿Qué es lo que representa Nacho Aguilar para Tony?
15. ¿Qué es lo que espera Tony de Nacho Aguilar?

TEMAS

La actitud de Pili ante "el qué dirán."
Las ilusiones de Tony en relación a su música.

Ejercicio

Escriban los tiempos gramaticales de los verbos en infinitivo que correspondan al sentido de la frase, explicando su uso.
1. Me extraña que Pili *atreverse* a decirlo.
2. Como si yo no *tener* nada importante que hacer.
3. Le encanta que a la gente normal le *salir* mal las cosas.
4. Es muy posible que a partir de esta noche *empezar* a ser así.
5. Pepe quiere que nosotros *cenar* juntos.
6. Es muy probable que él *decidirse* a ocuparse de nosotros.
7. Aunque sólo *ser* de oídas.
8. Acabaremos comprando una isla para vivir como nos *dar* la gana.

VOCABULARIO

(te lo) advierto — (te lo) aviso
apenas sale — casi no sale
a sus puntadas — a sus comentarios sarcásticos
(un) bicho raro — (un) ser extraño, (una) persona extraña
bien educado — con buenos modales, con buenas maneras
(una) broma — (un) chiste
(una) cabriola — (un) salto
compongo canciones — escribo la música para las canciones
(una) copa — una bebida alcohólica, (un) trago
discográficos — de música grabada en discos
disfrutando — divirtiéndose, gozando, pasándolo bien
donde me da la gana — donde quiero
el qué dirán — lo que la gente piense y diga de mí
(un) empujón — (un) embite
enfrentarse con — hacer cara a, confrontarse con
(le) encanta — (le) gusta, (le) agrada
enlaza — abraza
espanto — horror, miedo
están un poco verdes — la canciones necesitan ser revisadas
estoy deseando arrancar — tengo ganas de que se publiquen mis canciones
forastero — de otro lugar, de otra ciudad
(un) guardarropa — vestidos, trajes, ropa
hacerme vieja — envejecer, volverme vieja
haciendo ademán — con un gesto de darle en la cara con la mano
has puesto en revolución — has revolucionado, has preocupado
lanzar algún nombre nuevo — publicar las canciones de un nuevo autor
llevar una vida — vivir, manera de vivir
(una) maleta — (una) valija para llevar las cosas cuando se va de viaje
(te) manda — (te) ordena, (te) pide
más acreditada — más conocidos, más populares, con prestigio
me da igual — me da lo mismo, no me importa
metida en un frasco — sin salir, sin vivir una vida activa
muy en "cow-boy" — como los "cow-boys" del cine
no está bien de la cabeza — está un poco loca, chiflada
no estoy para gracias — no tengo humor para bromas
no se arregla — no se cuida, no se acicala
no será tan grave la cosa — no tendrá tanta importancia lo que has hecho
                             como crees, no será para tanto
no tiene ganas de — no quiere, no siente la necesidad de
(una) palmada — un golpe suave con la mano abierta
para ir tirando — para sobrevivir, para ir viviendo
parece un jubileo — parece un lugar en donde entra y sale mucha gente
patitis — patitas (Lorenzo hace un juego de palabras con hepatitis)
Pepsi — Pepsi-Cola
(un) piso — un apartamento grande
ponernos en ridículo — hacernos quedar mal, hacer el ridículo
poner pegas — poner dificultades

poner un piso — comprarte un piso
por Generalísimo — por la Avenida del Generalísimo (General Franco), calle
importante de Madrid
(el) portal — la puerta de la casa, la entrada
portarse — conducirse
rarísima — extrañísima
remachando — remarcando, poniendo énfasis, repitiendo
rendida — exhausta, agotada
sacarle el jugo hasta el máximo — disfrutando completamente
se ha enfadado con — ha reñido con, se ha peleado con
sin excesivo calor — con una actitud fría
si me buscan me acaban por encontrar — mi paciencia tiene un límite
supuse — pensé, imaginé
temporada — un período de tiempo largo
¿te enteras? — ¿lo sabes? , ¿te das cuenta?
(un) tío muy importante — una persona importante
tirarse de cabeza — meterse de lleno, lanzarse a fondo
tomar a pitorreo — reírse, tomar a broma
un disgusto que para qué — un disgusto enorme
voz de doblaje — imitando la voz que usan los actores en las películas
zumbón — bromista, irónico

ACTO PRIMERO

IV

CUESTIONARIO

1. ¿Por qué está tan afectado Lorenzo?
2. ¿Le gusta a Lorenzo hablar de sus problemas ante la gente?
3. ¿Cómo explica Lorenzo sus problemas con Pili?
4. ¿Qué conclusión saca Alicia ante la actitud de Lorenzo?
5. ¿Cómo se comporta Lorenzo con la madre de Pili?
6. ¿Qué le da Alicia a Lorenzo cuando éste va a salir?
7. ¿Fuman Alicia y Pili?
8. ¿Están a gusto la una con la otra?
9. ¿Por qué no quiere Alicia comer en casa?
10. ¿Le es fácil hablar a Pili de lo que le ha pasado con su marido?
11. ¿Qué es lo que siente Pili desde hace tiempo?
12. ¿Por qué no puede curarla el médico?
13. ¿Qué le aconseja Alicia a Pili que haga?
14. ¿Por qué le hace repetir Pili a Alicia la palabra cuchara?
15. ¿De qué se dio cuenta Pili con respecto a su matrimonio?

TEMAS

Las causas de las desavenencias entre Pili y Lorenzo, según Lorenzo.
La falta de comunicación entre las dos hermanas, Pili y Alicia.

Ejercicio

Escriban los tiempos gramaticales de los verbos en infinitivo que correspondan al sentido de la oración, explicando su uso.
1. Como si ella no le *haber* oído.
2. Como si yo *ser* un mueble.
3. ¿Qué quieres que yo le *hacer*?
4. Y me gusta que mi mujer *estar* en casa.
5. Más valdría que les *tener* cariño.
6. Llamará más tarde para ver si quieres que él *venir* a buscarte.
7. Como si la supuesta bondad de Lorenzo *ser* una tarea difícil.
8. ¿Qué quieres que nosotros *hacer*?

VOCABULARIO

abrigo de astracán — abrigo de piel
acoquinada — intimidada
acuda a ella — venga a hablar con ella
ahorrarte el esfuerzo — salva tu energía, no te molestes
ambiguo — impreciso, vago
¿A qué viene tu viaje? — ¿Por qué has hecho el viaje?
armario — mueble para colgar ropa
arrojando — tirando, lanzando, hechando   *toss*
(una) cajetilla — (un) paquete de cigarrillos
(mi) coche — (mi) carro, automóvil, máquina
como acostumbra — como suele, como es su costumbre
(tener) confianza — (tener) familiaridad, fe
con asco — con repugnancia, con desprecio
con pena — con lástima, sin gusto, con tristeza
con rabia — furiosamente
con sorna — sarcásticamente, con ironía
(el) despiste — (la) desorientación, (la) distracción
disculpándose — excusándose
(un) discurso — (una) charla política
dispuesta a — preparada para
embalándose — muy deprisa, rápidamente
el colmo de — lo más que, lo máximo
enciende — prende, quema
entremos en materia — hablemos claramente del asunto
esboza — trata, intenta, perfila
es de lo que se trata — es lo que interesa
estoy hecho polvo — estoy deshecho, estoy fastidiado
extrañadísima — muy sorprendida
fregar los cacharros — lavar los platos y demás utensilios usados para la comida
(las) gaitas — las tonterías, instrumento musical de Escocia
(el) Garbo — una revista semanal española con noticias de sociedad
hacer el caldo gordo — dar coba, pretender que se interesa, halagar
(me) hace gracia — (me) hace reír, (me) da risa
hacer unas gestiones — hacer unas averiguaciones sobre negocios
hala — vamos
hosca — hostil
incómodas — inconfortables
ir al grano — entrar en materia, hablar de lo importante
más valdría que les tuvieras cariño — sería mejor que les quisieras
me di cuenta — noté, observé
(la) mira a su vez — (la) mira ella también
no es por ahí la cosa — no se trata de eso, no es eso
no hay cordialidad — no existe cariño ni comprensión
no hay ni que soñar — no se puede ni pensar
no tiene muchas luces — no es inteligente
picada — ofendida, molesta

pitillo — cigarrillo
por supuesto — naturalmente, claro que sí
por un casual — por casualidad
recogiendo velas — retractándose, arrepintiéndose
tomarme el pelo — reírte de mí, burlarte de mí
tomarme un chato — beberme un vaso de vino
tonterías — cosas sin importancia
soportar — aguantar
una especie de ahogo — algo como un sentimiento de angustia

Mama - vive por el quedirán, Una mujer frívola.

ACTO PRIMERO

V

CUESTIONARIO

1. ¿Qué diferencia hay entre jugar al parchís y jugar al ajedrez, según Pili?
2. ¿Cómo era Alicia cuando era pequeña? *Quiere saber el porque.*
3. ¿Qué diferencia había entre las dos hermanas? *Pili aceptaba, Alicia no.*
4. ¿Por qué se está volviendo Alicia escéptica? *No cree en cosas (Tony)* *scéptic.*
5. ¿Quién llama por teléfono? *Mamá.*
6. ¿Cómo le contesta Pili a su madre por el teléfono? *con poco respecto.*
7. ¿Qué se nos revela sobre la personalidad de la madre por medio de la conversación telefónica?
8. ¿Cómo trata Alicia a su madre cuando habla con ella? *mal*
9. ¿Qué nuevo personaje llega al apartamento? *Pepe*
10. ¿Cómo nos lo describe la autora? *Es como Tony.*
11. ¿Qué le hace y dice Pepe a Alicia al entrar? *Se besan, "Quien es la más gu mujer en el mun"*
12. ¿Conocía Pepe a Alicia? *Sí, a Pili No*
13. ¿Cómo se saludan Pili y Pepe?
14. ¿Por qué dice Alicia que Pili se llama señora de Fontán?
15. ¿Por qué no está Pepe con Tony? *Cambio de planes*

TEMAS

Las causas de la frustración de Pili en su matrimonio, según ella.
Diferencias de carácter y de manera de pensar entre Pili y Alicia.

Ejercicio

Escriban los tiempos gramaticales de los verbos en infinitivo que correspondan al sentido de la oración, explicando su uso.
1. Imagínate que todo el mundo *jugar* al parchís.
2. Con tal de que no te lo *presentar* mascadito.
3. Mañana te llamo yo y te cuento lo que *hacer*.
4. Sí, es posible que yo *estar* loca.

82

5. Te apuesto lo que tú *tener*.
6. Parece mentira que Ud. no *conocer* a su madre.
7. Tú piensa lo que te *dar* la gana.
8. Me dijo que nos encontraríamos a las ocho y que yo te *comprar* una botella.

VOCABULARIO

adjurando de sus errores — arrepintiéndose
ahora se pone — enseguida viene al teléfono
(el) ajedrez — juego de peones, damas, reyes etc., más sofisticado que el parchís *Chess*
al corro — un juego de niños que se juega cogidos de la mano
bajo una capa de frivolidad — bajo su aspecto frívolo
(cuatro) berridos — (cuatro) voces, (cuatro) gritos
botellas de Rioja — botellas de vino de la Rioja, el vino de mesa más famoso de España
(un) carca — un conservador fánatico
citarle — quedar en un lugar para verse, ponerse de acuerdo para verse
cogiendo de nuevo el hilo — siguiendo de nuevo la conversación
cogiendo el rábano por las hojas — agarrándose a lo que dice su hermana
confiado ciegamente — creído ciegamente, con fe absoluta
dan muy bien el pego — engañan bien, convencen bien
(nos) dejamos de sondeos — no indagamos, no averiguamos
El Retiro — Parque en el centro de Madrid
el ser — la persona
en ambas mejillas — en los dos lados de la cara
extrañar — sorprender
fastidiar — molestar, dar la lata, reventar
(un) fósil con patas — (una) persona de ideas anticuadas
haciendo el primo — siendo un estúpido, haciendo el imbécil
harta — cansada, no puedo más con
hemos confiado — hemos tenido fe, hemos creído
¿Incluído Tony? — ¿También Tony?
incondicionalmente — sin condiciones, totalmente
insensato — sin sentido común
mascadito — bien explicado
me la está pegando — me está siendo infiel
me ponían en la calle — me echaban, me despedían
me saca de quicio — me irrita, me pone nerviosa
me revienta — me fastidia, me molesta
no desperdicies labia — no hables tanto, no te molestes en hablar
no ladrarle — no hablarle en tono brusco
no tengo peros — no tengo nada en contra
pamplinas — tonterías, imbecilidades
(el) parchís — juego de fichas *checkers*
(un) pliegue — (un) doblez

podrido — estropeado, corrompido
ponerse moradas a hablar — hablar mucho
predicar — abogar, sermonear
Pues toma tila — Pues toma una infusión para los nervios
que andes con pies de plomo — que tengas cuidado
semejante estupidez — tal imbecilidad
sin recoger el guante — sin aceptar el desafío
soy tarada — soy anormal
ternura — cariño, amabilidad

ACTO PRIMERO

VI

CUESTIONARIO

1. ¿Qué plan tienen Pepe y Tony para esta noche?
2. ¿Qué le dice Pepe a Alicia que haga con el vino?
3. ¿Por qué temía Pepe que no se pusiera al teléfono el señor Aguilar?
4. ¿En dónde le cita Pepe al señor Aguilar?
5. ¿Por qué le tutea Pepe al señor Aguilar?
6. ¿Por qué se sorprende Alicia al oír que van a cenar en su apartamento?
7. ¿En dónde ha conseguido Pepe la botella de vino?
8. ¿Qué le pide Alicia a Pepe?
9. ¿Qué le da Pili?
10. ¿Les es fácil hablar a Pili y a Pepe cuando se quedan solos?
11. ¿A qué se dedica Pepe?
12. ¿Qué estudia Pepe?
13. ¿Por qué le pregunta Pepe a Pili si lee mucho?
14. ¿Cuál es la diferencia entre Tony y su marido?
15. ¿Cómo dice Pili que ve el mundo ahora?
16. ¿Por qué dice Pili que la gente como Pepe son el reino de la media tinta?

TEMAS

Las relaciones de Alicia y Pili con su madre
El sentido del humor de Pepe

Ejercicio

Escriban el tiempo gramatical que requiera el sentido de la oración; explicando su uso.
1. ¿Cómo que vosotros *comer* aquí?
2. Las botellas se las *haber* quitado a tu familia, ¿no?
3. Hay que darle bien de cenar para que nos *contratar*.
4. Y de paso, a ver si os *preparar* una mesa para cinco.
5. Como si *ser* muy dramático.
6. Está mal que la gente *pasar* hambre.
7. No hay manera de que ellos te *aconsejar* de otra forma.
8. Por si acaso yo no *conseguir* vivir de mi inspiración.

VOCABULARIO

(tomarlo) a choteo — (tomarlo) a broma, a guasa
  a cumplir órdenes — a obedecer, a hacer lo que me mandan
¿a qué se dedica? — ¿en qué trabaja?
archisabido — que todo el mundo sabe y repite
como un loro — como un papagallo, como alguien que repite lo que oye
darle bien la coba — lisonjearle para sacar algo de él
dejó colgada una carrera — abandonó los estudios sin terminarlos
¡Encima! — ¡Además, eso!
Es el octavo — Es el octavo piso del edificio
estrellarse — caerse y matarse
es un crimen — es un crimen poner el vino tinto a enfríar
frases hechas — clisés, lugares comunes
gestiones — negocios, averiguaciones
Haceos la visita — entreteneos el uno al otro
horas de ocio — horas de asueto, horas de descanso
la media tinta — la mediocridad
la "mili" — el servicio militar
le gusta el que hay — le gusta el mundo como es
le tuteo — le hablo de tú, uso la forma familiar con él
No reparto octavillas — No hago propaganda política
Por sí acaso — Para estar preparado
(la) Puerta del Sol — (el) centro de Madrid y el centro geográfico de España
solucionado — resuelto
su sueldo — su salario
Te aburrirás — No lo pasarás bien
(la) tensión alta — la presión de la sangre alta
Un poco antes de llegar a Burgos — Habla irónicamente porque el aparta-
                              mento está lejos del centro de la ciudad
veinte duros — cien pesetas, un duro es una moneda de cinco pesetas

ACTO PRIMERO

VII

CUESTIONARIO

1. ¿Qué es lo que trae Tony cuando aparece de nuevo? *paquetes*
2. ¿Cómo ha conseguido el dinero para lo que ha comprado? *prestó*
3. ¿Por qué le pregunta Pepe a Tony si había estado en La Coruña? *cree que estaba con Pili*
4. ¿Por qué no puede poner Pili las flores en la mesa? *porque no hay bastante espacio*
5. ¿Por qué ha decidido Pepe cenar en casa de Alicia? *es el aniversario*
6. ¿Por qué le pregunta Tony a Alicia la fecha?
7. ¿Cuánto tiempo llevan casados Alicia y Tony? *Tres años*
8. ¿Qué le regala Tony a Alicia en su aniversario de casados? *un camafeo*
9. ¿Qué le ofrece Tony a Pili de beber? *whiskey y jerez*
10. ¿Por qué le pregunta Pili a Tony si se va a hacer musulmán?
11. ¿Qué cree Ud. que ha habido entre Tony y Pili en La Coruña? *una aventura amorosa*
12. ¿Qué actitud toma Tony ante las preguntas de Pili? *seca*
13. ¿En qué consiste el regalo de Alicia a Tony? *telescopio, tripod, y mapa de estrellas*
14. ¿Por qué se sobresaltan todos al oír que llaman a la puerta?
15. ¿Es de mucha importancia para el porvenir de Pepe y Tony la visita que esperan?
16. ¿Por qué se desilusionan al abrir la puerta? *No es Nacho Aguilar.*
17. ¿Qué están haciendo Pili y Alicia? *cambiado las ropas, estan poniendose de tiros largos*
18. ¿En qué está empeñado Tony? *Lorenzo y Pili salen*
19. ¿Qué se oye de nuevo? *el timbre*
20. ¿Quién abre la puerta? *Pepe*

TEMA

Los conflictos que se inician en el primer acto.

Ejercicio

Escriban los tiempos gramaticales de los verbos en infinitivo que correspondan al sentido de la oración, explicando su uso.
1. No creo que tú *tener* tiempo.
2. Quería saber si tú *hacer* todo de manera distinta.
3. Yo creí que tú no te *recordar*.
4. ¿A qué se debe el honor de que vosotros *venir* a cenar a mi casa?
5. Hace varios años que yo te *conocer*.

6. Cuando te *encontrar* con ganas de mirar al cielo, me tendrás que ver.
7. Sólo quería guardar el abrigo para que no *estar* en medio.
8. ¡Pero eso sí que *valer* un dineral!

VOCABULARIO

(un) anticipo — (un) adelanto, dinero a cuenta
armarlo — construirlo, poner las piezas juntas
(no) caben — (no) hay sitio, (no) se pueden poner
¡Calla ganso! — ¡Calla, tonto! , ¡Calla, payaso!
cancionero — el que escribe canciones, Imita la frase del Quijote: "Nunca viose caballero de damas tan bien servido . . .
cargado de — con muchos paquetes, lleno de
(una) casaca — (una) especie de blusa larga
costaba una bestialidad — costaba mucho dinero
costar una burrada — costar mucho dinero
desafío — duelo, combate entre dos personas
de tiros largos — muy elegantes, con sus mejores ropas
(un) dineral — mucho dinero
echar — hacer que se vayan
Encomiéndate a Dios — Pide a Dios
¡estamos listos! — ¡no triunfaremos!
(te) haga el vacío — no te admita, no te haga caso
"in fraganti" — (Italiano) sorprender a alguien en el momento de cometer un delito, con las manos en la masa
(un) jerez — (una) copa de vino de Jerez
(nos) jugamos el cocido — arriesgamos nuestro futuro
(un) mapa estelar — (un) mapa del firmamento
(un) mazazo — un golpe fuerte con un instrumento
(una) monada — (un) hombre simpático y atractivo, (un) sol, (un) amor
nefasto — desgraciado, aciago
¡Qué asco! — ¡Qué rabia! , ¡Qué lata!
¿Qué has empeñado? — ¿Cómo has obtenido el dinero?
pasta — dinero
patada — puntapie, golpe con la pierna
poner en vergüenza — avergonzar
(un) préstamo — dinero que hay que devolver
(el) ramillete — (el) ramo de flores
(el) revuelo — (el) lío, la conmoción
(el) ritmo vertiginoso — muy rápido
(para) salir del paso — (para) salir de la situación
Si encima — Si además
(te) sientas en vena — cuando quieras, cuando te apetezca
su sueldo — su salario
tanto empeño en — tanto interés en
ten en cuenta que — piensa que
te vas a hacer musulmán — te vas a hacer polígamo
trastos — cosas inútiles
¡vete a paseo! — ¡lárgate! , ¡sal de aquí!
ye-ye — baile de moda

ACTO SEGUNDO

I

CUESTIONARIO

1. ¿Cuánto tiempo ha pasado entre el primero y el segundo acto? *algunas horas*
2. ¿Qué se oye antes de levantarse el telón? *música*
3. ¿Cómo describe la autora a Nacho Aguilar? *cincuenta años, buen ver*
4. ¿Qué está haciendo cada uno de los personajes al levantarse el telón? *Nacho Tony Pepe Alicia bailan   Pili pone discos   Lorenzo ve al telescopio*
5. ¿Por qué dejan de bailar? *están cansados*
6. ¿A dónde tiene que ir Tony por el hielo? *a los vecinos*
7. ¿Qué dice Pepe de la juventud de hoy? *cosas no son nunca lo que parecen*
8. ¿Qué comenta Pepe de Lorenzo? *su vida es un satiro*
9. ¿Se ha divertido Nacho en la fiesta? *sí*
10. ¿Por qué le gusta a Nacho la casa de Alicia? *es mona y graciosa*
11. ¿Cómo es el piso de Tony, según Alicia? *extraño*
12. ¿Qué tiene de original la manera en que viven Tony y Alicia? *están casados y no viven juntos*
13. ¿Están casados Tony y Alicia? *sí*
14. ¿Por qué no viven juntos? *fue un disastre cuando lo trataban*
15. ¿Cómo reacciona Pili a lo que dice Alicia? *está agresiva*
16. ¿Qué opina Nacho del matrimonio? *no le gusta nada forma*

TEMAS

Los modos de vivir de la juventud de hoy
Las ideas expresadas por los diferentes personajes, sobre la institución del matrimonio.

Ejercicio

Escriban oraciones originales empleando las expresiones siguientes de manera que revelen el significado de la expresión:

1. estar harto de *to be fed up with*
2. no tener nada que ver con
3. extrañarle a uno algo *surprised*
4. estar hecho polvo *to be terribly upset*
5. tomar el pelo a alguien *to tease someone*
6. darle la gana a uno *feel like it*
7. ponerse al teléfono
8. sentirse fatal
9. por lo menos *at least*
10. más bien

89

VOCABULARIO

abanicándose — dándose aire
acogedor — cómodo, confortable
aflojado — suelto
al escrutar — al mirar
al revés que — al contrario que, lo opuesto a
a secas — solamente
bajo un barniz de — en la superficie, con aspecto de
¡Caray! — ¡Caramba!
cariño — afecto, amor
chaqueta — saco, americana
claro — naturalmente, sí
como nos da la gana — como queremos
comportándose — conduciéndose
cual niño — como un niño
cubo de hielo — el recipiente para el hielo
da mucho de sí — tiene mucho margen
de asueto — de vacaciones, libre
delito — crimen
de muy buen ver — atractivo, bien parecido
despeinado — con el pelo revuelto
desprenderse de — quitarse, soltar
(se) desnudan — (se) quitan la ropa, (se) desvisten
disfrutando — gozando, divirtiéndose
en corro — en círculo
ensimismado — pensativo
en torno — alrededor
espantoso — horrible
Está uno harto — Uno no puede más
extrañado — sorprendido
flamenco — cante y baile de Andalucía
graciosa — simpática, alegre
hace cubitos — hace pequeños bloques de hielo
hielo — agua helada
(nos) horroriza — (nos) aterra, (nos) da miedo
juerga — fiesta, reunión con cante y baile
los demás — los otros, el resto
(le) llene — (le) satisfaga
mirar de reojo — mirar de soslayo, mirar de lado
mocito — joven
monstruoso — horrible
nube — masa de agua en la atmósfera, estar en una nube, estar distraído
¡Olé! — ¡Bravo!
os lleváis mal — no podéis ser amigos
palmas — ritmo musical producido con las palmas de las manos
pegado al — junto al
penados por la ley — castigados por la ley
pillar a mano — estar cerca
piso — apartamento

polvera — caja con polvos para la cara
por lo menos — a lo menos
Que gracia — Que divertido
reventado — cansado, fatigado
rige — regula
(me) rindo — (me) entrego, (me) doy por vencido
se planta — cesa
se prosterna a lo moro — se pone de rodillas al estilo de los árabes
sin aliento — sin respiración
te ha tocado — es tu turno
una lata — un aburrimiento, una pesadez
un lío — una confusión
velada — reunión por la noche, tertulia
vivir según un patrón — conformarse, vivir de acuerdo a una norma

ACTO SEGUNDO

II

CUESTIONARIO

1. ¿Cuáles aspectos del matrimonio no le gustan a Alicia? *las forrou*
2. ¿Fue la boda de Tony y Alicia una boda tradicional? *No*
3. ¿Cómo reaccionó la madre de Alicia cuando supo que se habían casado? *está volada   sientió shock*
4. ¿Está de acuerdo Lorenzo con las ideas de Alicia? *No*
5. ¿Contra qué se rebelaron Tony y Alicia? *las tradiciones de vida*
6. ¿Con qué les ha compensado su rebelión? *inventan ~~nuestra~~ suya propia vida*

sarcástica → 7. ¿Cómo reacciona Pili al oír las ideas de su hermana? *crea una tens: y aniviso*
8. ¿Cómo interviene Pepe para salvar la situación entre Pili y Alicia? *con gracia, irónicamente. bocabajo*
9. ¿Por qué ha tardado tanto Tony? *obtena una botella de champán.*
10. ¿Cuáles son los dos acontecimientos que van a celebrar? *el contrata y anivisa*

Pepe no muy serio 11. ¿Qué es lo que ya sabía Nacho de Tony y Pepe? *eran buenas art*
12. ¿Cómo reaccionan Pepe y Tony al oír lo del contrato? *Tony entusi.*
13. ¿Qué impertinencia dice Pili sobre los motivos de Nacho? *él va a explotar*
14. ¿Qué dice Nacho para defenderse? *Ellos saben sus motivos.*
15. ¿Por qué habla Pili de manera tan sarcástica? *xi está frustado co relación con Tony.*

TEMAS

Lo tradicional y lo nuevo en las costumbres sociales.
El desarrollo de la frustración de Pili y cómo se manifiesta en estas escenas.

Ejercicio

A. Escriban oraciones originales empleando las expresiones siguientes de manera que revelen el significado de la expresión:

1. hacerse un lío *get very confused*   6. empeñarse en *insist on*
2. encantarle a uno algo *enchant*   7. de sobra *more than enough*
3. darse cuenta de *realize*   8. echar una mano *give a hand*
4. gastar una broma *to tease*   9. por supuesto *of course*
5. no darle la gana a uno *don't feel like it*   10. portarse bien *behave well*

VOCABULARIO

acontecimiento — evento
a costa de — a expensas de
apilar los cacharros — ponerlos unos encima de otros
auditorio — público, conjunto de oyentes
A ver — Vamos a ver
a ver que pesca — a ver que averigua
cáscaras vacías — cosas inservibles
cinta grabada — cinta magnetofónica
Colegio Mayor — Residencia para estudiantes universitarios
como si fuéramos apestados — como si estuviéramos enfermos de una
                               enfermedad contagiosa
con prisas — tenían que casarse porque ella esperaba un niño
cortada — indecisa
curilla — sacerdote
darse con un canto en los dientes — darse por satisfecho, estar satisfecho con
(no) decaiga — (no) pierda
despacho — oficina
echarle publicidad — darle publicidad
(te) enfadarás — (te) pondrás de mal humor
equivocarnos — hacer errores, cometer errores
enarbolando — levantando por encima de la cabeza
en caliente — en el mismo instante, ahora mismo
era preciso — era necesario
es mentira — no es verdad
está muy de moda — es muy popular
estás muy visto — estás pasado de moda, te conocemos demasiado
fijaremos la fecha — anunciaremos la fecha
firmamos — escribimos nuestro nombre
había madera — había talento
hacer tabla rasa — prescindir arbitrariamente
hacerse notar — llamar la atención
importaba tres narices — no importaba nada
jugarse el tipo — arriesgar la vida
(me) localizaron — (me) encontraron
lucido — brillante
no das ni una — no aciertas con nada
no habrá más remedio que — no habrá más solución que
Oráculo — persona a quien se atribuye sabiduría y autoridad. (Irónico)
Paella — plato típico de la cocina española. Consiste en arroz, pollo, pescado
         etc.
¡Pues claro! — ¡Naturalmente!
quedar rancio — quedar atrasado, pasarse de moda
(le ha) quedado redondo — (le ha) quedado perfecto
roto — destrozado, estropeado
sin avisar — sin decir nada, sin anunciarse
subrepticia — encubierta, hecho con ocultación maliciosa
sueles — acostumbras
(la) ventolera — tomaron la decisión brusca y extravagante
volada — insegura, intranquila
(te) volverás atrás — (te) arrepentirás
y han tendido el puente levadizo de almena a almena — Quiere decir que,
         como viven en diferentes apartamentos, hoy se han reunido

ACTO SEGUNDO

III

CUESTIONARIO

Pili es agresiva

1. Según Tony, ¿por qué defiende Lorenzo a su mujer? *porque es su mujer*
2. Según Lorenzo, ¿qué diferencia existe entre Alicia y Pili?
3. ¿Por qué le gustan a Nacho las discusiones que está presenciando? *El tiene interesante en los jóvenes es joven y vibran...*
4. ¿Por qué le dice Nacho a Pepe que Pepe es un negro pacifista? *quiere imponer sus ideas a buen usa*

Alicia es más idealista

5. ¿Cuáles son las diferencias que Nacho observa entre la postura de Pepe y la de Alicia ante los problemas de la sociedad?
6. ¿Cómo clasifica a Tony? *Negro de Panteras Negras*
7. ¿Por qué le ha puesto Tony a la canción de Pepe "redobles de tambor?" *tiene resientemente*
8. ¿Por qué dice Nacho que Pili es como un judío converso?
9. ¿Cómo se analiza Nacho a sí mismo? *un mestizo*
10. ¿A qué generación pertenece Nacho? *antigua ni joven*

vive en época antes

11. ¿Qué es Lorenzo, según Nacho? *salto atras*
12. ¿Por qué está Pili tan excitada, según Lorenzo? *el whiskey*
13. ¿Qué van a hacer con el champán? *van a brindar*
14. ¿Qué hacen todos cuando Lorenzo abre la botella? *todos vitorea*
15. ¿Por qué brindan la primera vez? *el contrato*
16. ¿Por qué brindan la segunda vez?

TEMAS

El análisis que hace Nacho de los diferentes personajes y su comparación con la actitud de los diferentes grupos de minorías raciales.

La exageración y la moderación en la conducta de los jóvenes.

Ejercicio

Escriban oraciones originales empleando las expresiones siguien[tes] de manera que revelen el significado de la expresión:

1. hacer de tripas corazón *let out feelings*
2. llevar la contraria *contradict*
3. tener éxito *succeed*
4. dar en el clavo *hit the nail on the head*
5. valer la pena *to be worth while*
6. no dar una *disregard adv...*
7. hacer caso *pay attention*
8. dar la lata *bother*
9. estar a punto de *on the v...*
10. ir al grano *get to the point*

andarse al ramas: beat a... the bus

94

VOCABULARIO

acabé de raíz — terminé completamente
a costa de — a expensas de
a los demás — a los otros
(el) ama del cotarro — (la) dueña de la situación
añadir — aumentar, agregar
Apúntate un ocho — Márcate un tanto
a su modo — a su manera
avergonzado — confuso, cortado
borracho — embriagado, bebido, curda, beodo
brindar — expresar un deseo al beber
Caballero andante — Caballero de la Edad Media
cargárselo — acabar con él, destruirlo
chistoso — bromista, gracioso
chocar — dar uno contra otro
copas de — vasos de
del todo — completamente
demuestran — muestran, hacen ver
desfasamiento — sin estar a tono con la situación
disfrazar — ocultar, esconder
disgusto — pesadumbre, padecimiento
(se) echa a reír — empieza a reír
empresa — negocio, sociedad comercial
en el fondo — internamente
en pro — a favor de
ensayadísima — muy bien preparada
(le) estamos dando la noche — (le) estamos aburriendo
(lo) estoy pasando de maravilla — (lo) estoy pasando estupendamente
es una pena — es una lástima
felpudo — alfombra para limpiarse los pies
¿Filete de tigre? — carne de tigre. Alude a la forma agresiva en que habla Pili
gritando — dando voces
hacer daño — dañar, causar pena
(no) hagan tabla rasa — (no) se conformen
¡Has dado en el clavo! — ¡Has acertado!
hoguera — fuego
humilde — modesto
(te) importa un rábano — no (te) importa nada
inaguantables — insoportables
ingenuo — inocente, sin malicia
judío — hebreo, israelita
mal que bien — más o menos con dificultad
mestizo — mezcla de blanco e indio
muestrario — conjunto de cosas
pancartas — carteles de publicidad o propaganda
para pararle los pies al lucero del alba — para enfrentarse con cualquiera
parecida — similar
pecaminoso — malo
Pepita Grillo — Compara a Pili con el personaje del cuento Pinochio
poniendo a caldo — insultando

[handwritten notes:]

llevar la contrario: contradict
tener exito: salir bien
da en el clavo: hit the nail on the head
no dar una: to disregard advice
dar la lata: bother molestar

hacer caso: pay attention
estar apunto de: on the verge of

tener razón
ir al grano: get to the point

por las buenas — de buena manera, pacíficamente
putrefactas — podridas
quitarlos — sacarlos
razón social — empresa, compañía, firma social
redobles de tambor — repercusiones en el tambor
reparte — distribuye
revuelo — conmoción, agitación
(un) salto atrás — (un) conservador, (un) salto al pasado, retrógrado
Se agradece, se agradece — Gracias, gracias
Secundando la maniobra — Apoyando la acción
se iba a forrar — iba a ganar mucho dinero
servilleta — paño para limpiarse la boca y las manos al comer
sojuzgados — oprimidos, sometidos
sobre todo — especialmente
tantos ejemplares — tantos tipos interesantes
taponazo — ruido que hace el tapón cuando se abre una botella
¿Te enteras? — ¿Te das cuenta? , ¿Lo sabes?
(el) tiro de gracia — (el) disparo que causa la muerte
Trás — Después de
va despertándose — va subiendo
vitorear — dar vivas, dar bravos

ACTO SEGUNDO

IV

CUESTIONARIO

1. ¿Quién interrumpe el segundo brindis y cómo reaccionan los demás? *Tony Pili Tony y Pepe - miedo*
2. ¿Qué es lo que temen Tony y Pepe? *Pili revelar*
3. ¿Qué es lo que empieza a sospechar Alicia?
4. ¿Qué efecto tiene lo que dice Pili acerca de Tony en La Coruña? *Produce una situación difícil*
5. ¿Quién es el único de los presentes que no se entera del significado de la revelación de Pili? *Lorenzo*
6. ¿Por qué menciona Alicia la Orestiada? *representaba la infidelidad*
7. ¿Qué confusión le ha causado a Alicia lo que ha dicho Pili? *No comprende que oscuro en c'*
8. ¿Por qué se lanza Lorenzo sobre Tony? *Tony está a punto de hablar sobre su opinión de Pili. Tony insultó a lorenzo*
9. ¿Por qué se echa a llorar Lorenzo? *Su idea de su mujer ha roto.*
10. Según Nacho, ¿cuáles son los problemas que tiene el romper un molde, o sea, no respetar las reglas sociales?
11. ¿Qué límite aconseja Nacho? *Hay que tener una cierta medida de prudencia*
12. ¿Cómo sugiere que resuelvan Tony y Alicia el problema que les ha planteado la infidelidad de Tony? *Resolver solas*
13. ¿Se va Nacho al terminar su discurso?
14. ¿Quién sale de la escena sin que nadie se dé cuenta? *Lorenzo*
15. ¿Qué hacen los demás? *Pili va a la alcoba, Alicia llora*

TEMAS

Los temores de Pepe   *Lorenzo está fuera de onda*
                             out of it

El derrumbamiento del mundo de Lorenzo

Ejercicio

Escriban oraciones originales empleando la expresiones siguientes de manera que revelen el significado de la expresión:

1. dar el pego *deceive*
2. tratarse de *deal with*
3. ser el colmo de *the height of*
4. andar con pies de plomo *watch one's step*
5. meter la pata *put your foot in your mouth*
6. llevar la contraria a alguien *contradict*
7. ponerse al teléfono
8. dar diente con diente *shiver*
9. tener razón *be right*
10. por cierto *by the way*

VOCABULARIO

acercando — aproximando, poniendo cerca
agarrando — sujetando, cogiendo
aguantar el tipo — resistir como sea
aliviado — mejorado, tranquilizado
a lo establecido — a lo aceptado por la sociedad
al vacío — al espacio
amante del orden — que le gusta el orden
ampliamente — de sobra, más que suficiente
arder — quemar, consumirse en el fuego
arrancarles la piel — a decirles todas las verdades
arrugadilla — con líneas en la cara
atolladero — situación difícil, atasco
a tus rollos — a tus pesadeces, a tus clisés
aún no — todavía no
bailar en la cuerda floja — estar en una situación difícil
borrachita — un poco bebida, borracha
brusco — falto de suavidad, rudo
carraspear — hacer una tosecilla con la garganta para empezar a hablar
consternado — afligido, afectado
decepcionado — desilusionado
de paso — al mismo tiempo, a la vez
desconcertado — confuso, confundido
desgarrada — provocativa, descarada
despachar pronto — terminar rápidamente
desplegando — haciendo alarde de, mostrando
diseminadas — esparcidas
dulce — meloso
echarle un capote — venir en su ayuda
encendedor — mechero, utensilio para encender cigarrillos
entomólogo — el que estudia los insectos
está de buen ver — está atractiva a pesar de su edad
estallando — explotando
frivolizar — hacer frívola
fuera de onda — sin enterarse, sin comprender
fuera de sí — trastornada, sin control
ganas de epatar — con deseos de deslumbrar a todos
golfa — prostituta
golpeándose — dándose golpes
Hala — Vamos, Se acabó
hogar — casa, morada
honrosa — honorable
hubo un lío enorme — hubo mucho revuelo, . . confusión
iconoclasta — persona que se dedica a criticar y destruir la fama de otros, hereje
inconveniencia — algo que no se debe decir
incorrecto — con poco tacto y malas maneras
indulgente — comprensivo

98

ingenuo — inocente, sin malicia, infeliz
irte a acostar con — hacer el amor con
La Coruña — Ciudad en el noroeste de España
llorar — derramar lágrimas
loro — ave que repite el habla de las personas
marcharse — irse
más infeliz que un cubo — muy ingenuo
me habrás hecho polvo — me habrás fastidiado, me habrás hecho mucho
                                   daño
no desbarres — no digas locuras, no digas tonterías
No me da la gana — No quiero
no pasarse demasiado de rosca — no sobrepasarse
no te andas con tonterías — no haces cosas pequeñas
paliar — aminorar, moderar
pecara yo — actuara yo
pendientes ambos — expectantes los dos
portal — la puerta de entrada a un edificio
probo ingeniero — honrado, honesto, moral ingeniero
prudencia — moderación
romper un molde — destruir una costumbre
(la) sacude — (la) zarandea, (la) agarra y agita
salida de pata de banco — metedura de pata, inconveniencia
se armó allí una — se formó allí una gran confusion
si las aguas vuelven a su cauce — si las cosas vuelven a donde estaban
suelta — di, habla
tabú — prohibido
te lo ha contado — te lo ha dicho, te lo ha explicado
tiene la noche — está terrible esta noche
tirar de la manta — descubrirlo todo
tiritando — temblando de frío, dando diente con diente
todos en bloque — todos unidos
turbada — confusa, trastornada

ACTO SEGUNDO

V

CUESTIONARIO

1. ¿Por qué no le importa a Tony la opinión de Nacho?
2. ¿Qué es lo único que le merece respeto a Tony?
3. ¿Qué es lo que están esperando Nacho y Pepe que diga Tony? *10 s*
4. ¿Cómo explica Tony su conducta?
5. ¿Cuál fue la única razón por la que fue a La Coruña? *Lorenzo le pide*
6. ¿Por qué decidió seducir a Pili?
7. ¿Qué reacción tuvo después de su aventura con Pili? *muerte de asco*
8. ¿Tenía intención Tony de confesarle a Alicia su infidelidad?
9. ¿Qué le promete Tony a Alicia?
10. ¿Qué decide hacer Pili? *salir*
11. ¿Quién se ofrece para llevarla al hotel? *Nacho*
12. ¿Hasta cuando se despide Pili? *hasta Navidades*
13. ¿Cuándo se van a ver Nacho y Tony? *pasado mañana*
14. ¿Qué es lo último que le dice Nacho a Tony? *olvida los Fanb*

TEMAS

El individualismo de Tony y sus consecuencias

Pili como víctima del drama

muerto de asco. disgust with my se.

Ejercicio

Escriban oraciones originales con las expresiones siguientes de manera que revelen el significado de la expresión:

1. ponerse en ridículo *make a fool of oneself*
2. estar al llegar *to come any minute*
3. hacer el primo *to be taken in*
4. a estas alturas *at this late time*
5. hacer el caldo gordo a alguien *to flatter*
6. parecer mentira *seem imp*
7. tocarle a uno *his, mis turn*
8. a veces *at times*
9. ser un bicho raro *to be w*
10. tener cuidado *be careful*

100

VOCABULARIO

afán — interés, deseo
aguantar — soportar
ahorros — dinero acumulado
algo vergonzoso — alguna mala acción
¡anatema! — ¡maldición!
a plazos — para pagar poco a poco
armase este show — provocase esta escena
arrebato — locura
asunto — problema
bestialidad — barbaridad, burrada
callarse — dejar de hablar
canallada — mala acción
conferencia (telefónica) — llamada de larga distancia
consejo — cosa que se dice a alguien sobre lo que debe o no debe hacer
corazón — órgano de la circulación de la sangre
cosido a puñaladas — acuchillado por todo el cuerpo
cuñado — el esposo de la hermana
dándome contra las paredes — golpeándome contra los muros
decepcionado — desilusionado, desencantado
(se) derrumba — (se) viene abajo, (se) cae
deshechos — destruidos, destrozados
después de un antesala — después de esperar
dura — brusca
echarme una mano — ayudarme
el papel del malo — el papel del antagonista
empeñado en — insistiendo en
estar un poco hasta las narices — estar un poco cansado de
estás hecho polvo — estás arrepentido
estás lista — estás equivocada, estás engañada
frase oportuna — frase apropiada
guapa — hermosa, bonita, linda
guiñar — hacer una seña con el ojo
había una cama de por medio — era cuestión de sexo
hice de tripas corazón — me sobrepuse
ideales pisoteados — ideales destruidos
la has tomado conmigo — me culpas a mí
Las Carrozas — un club nocturno, una boite, una discoteca
levantarme la voz — hablarme en voz alta
loable — plausible, digno de alabanza
mandarme a paseo — largarme, despedirme, echarme
maleta — valija
me llevan la contraria — no están de acuerdo conmigo
muerto de asco — disgustado consigo mismo
Navidades — las fiestas de Navidad
películas — cintas cinematográficas
ponerme ojos tiernos — expresar con la mirada que le gusta
por un casual — por casualidad, por ejemplo
procurar — tratar de
¡Quia! — ¡Imposible! , ¡No!

se me acabó la cuerda — no tengo más que decir
se siente a disgusto — se encuentra incómodo
sin cejar — sin parar, sin dejar de
sobre todo — especialmente
sociedad de consumo — sociedad que gasta dinero
socio — asociado
vestida de viaje — vestida con un traje para viajar

ACTO SEGUNDO

VI

CUESTIONARIO

1. ¿En qué situación se quedan Alicia, Tony y Pepe cuando salen Nacho y Pili? *incomodo*
2. ¿Se va a quedar Tony con Alicia? *Sí*
3. ¿Que les pide Pepe antes de marcharse?
4. ¿Quién tiene las llaves del coche? *Lorenzo*
5. ¿Se encuentra mejor Tony después de haber confesado su infidelidad?
6. ¿Cuándo necesita el coche Alicia?
7. ¿Cómo se reconcilian Tony y Alicia?
8. ¿Qué es lo que quieren ellos conseguir?
9. ¿Por qué vuelve Pepe?
10. ¿Por qué no están contentos Tony y Alicia de que haya vuelto Pepe? *quieren explicarse, hablar*
11. ¿Qué hace Pepe para matar los fantasmas que, según él, han quedado en la habitación? *sepone a pistotear / stamp his feet*
12. ¿Cuánto tiempo tendrá que esperar Pepe por el taxi? *viente min*
13. ¿Qué noticia le dan a Pepe por teléfono?
14. ¿Qué le ha ocurrido a Lorenzo? *en un accidente*
15. ¿Cómo reaccionan ante la trágica noticia?

TEMAS

Solución del conflicto

Coméntese lo siguiente: "Lorenzo — idea estaba muerto ya, había empezado a morirse hace años y años, obligarlo a morir físicamente es una crueldad inútil.

¿Quién o quiénes son los culpables de la muerte de Lorenzo?
¿Por qué Lorenzo idea estaba muerto ya?
¿Qué diferencia hay entre la muerte física de Lorenzo y su muerte espiritual?

Ejercicio

Escriban oraciones originales con las expresiones siguientes de manera que revelen el significado de la expresión:

1. de buen ver *good looks*
2. tener ganas de *to feel like*
3. estar reventado *to be exhausted*
4. sin embargo *never the less*
5. cada cual *each one*
   cada uno

6. pasarlo bien *divertirse have a good time*
7. ser una lata *ser un rollo   to be a bore*
8. salir del paso *overcome a diff.*
9. a partir de
10. de vez en cuando *once in a while*

look up desde

VOCABULARIO

abiertamente — francamente
abrigo — sobretodo, prenda de vestir para el frío
acogedor — cómodo, confortable
agotada — exhauta, sin fuerzas
a partir de — desde
aplastamiento — derrumbamiento
(no) arranca — (no) funciona, (no) se pone en marcha
arreglar — componer
asintiendo — diciendo que sí con el gesto
a sus órdenes — a su servicio
(me) atracan — (me) asaltan y me quitan el dinero
bienquisto — bien recibido, bienvenido
cajón — gaveta, caja de un mueble en la que se guardan cosas
coge — agarra
con cariño — con amor, con afecto
conque — así que
conscientes — dándose cuenta
conseguiremos — lograremos
el "seiscientos" — el automóvil Seat 600, el más pequeño que se fabrica en
                        España
¡Encima! — ¡Además!
entre paño y bola — a medias
es igual de estúpida — es tan estúpida
Está aparcado — Está estacionado
fantasma — espíritu, alma en pena
(no) fastidies — (no) molestes, (no) des la lata
frases más felices — frases más acertadas
golpecitos — llamadas suaves a la puerta
gratuito — sin pagar, libre
ha acudido — ha ido, se ha acercado
(no) había derecho — (no) había razón para ello
(le) haga daño — (le) haga mucha impresión, (le) duela

104

(me) has hecho la pascua — (me) has fastidiado, (me) has reventado
impertérrito — inmutable, sin reaccionar
¡Jo! — ¡Jolín!
juego de repuesto — otras llaves del coche
La Paz — El hospital y clínica más grande de Madrid
la Posada del Peine — Un antiguo y popular parador de Madrid
largando — marchando, saliendo
lentamente — despacio
matrícula — la placa con las letras y número de regristro del automóvil
mete uno la pata — dice o hace uno una indiscreción
me toca — es mi turno
pariente — alguien de la familia
Qué tío más sano — Qué persona tan buena
que a provincias no viene — se refiere a lo lejos que está el apartamento del centro de Madrid
se arrellana — se coloca confortablemente
¡S h h h! — ¡Silencio!
se hiela — se congela
se siente fatal — se encuentra muy mal
suplicante — rogando
(el) telón — (la) cortina del escenario
zanjado — terminado, acabado, resuelto

EXPRESIONES Y MODISMOS

a altas horas de la noche — at the wee hours; early in the morning.

acabar de + infinitivo — to have just + past participle

acabar de raíz — to finish completely

acabárselo de creer — to end up by believing it

a costa de — at the expense of

acudir al quite — to come to one's rescue

a estas alturas — at this late time

a falta de — for lack of

aguantar a alguien — to put up with someone

aguantarse con — to be satisfied with

aguantar el tipo — to resist

al fin y al cabo — after all

al revés — to the contrary

al verlas — upon seeing them

ambos — both

andar con pies de plomo — to be very careful; to watch one's step

andar rodando — to drift (around)

andarse con tonterías — to fool around; to say foolish things.

a partir de las doce — from twelve on

a plazos — installment plan

aprovecharse de — to take advantage of

armarse una — to start a commotion

arrancarle la piel a alguien — to criticize someone

a secas — only

así que — so; so then

a sus órdenes — at your service

atreverse a — to dare to

a veces — sometimes; at times

a ver que se pesca — to see what one can get

bailar en la cuerda floja — to be in a shaky situation

cada cual — each one

¡Claro! — Of course!

coger el rábano por las hojas — to missinterpret

¿Cómo que estáis casados? — What do you mean you are married?

conque — so; so then

coser a puñaladas — to stab furiously

costar trabajo — to be hard; to be a pain

dar diente con diente — to shiver

dar el asunto por zanjado — to finish the matter

dar el pego — to deceive

dar en el clavo — to hit right on the nail; to be right

dar la lata — to bother

darle la gana a uno — to feel like it

darle miedo a uno — to make one scared; to frighten

darlo por hecho — to take it that it's finished

darlo por sentado — to have it understood

dar mucho de sí — to stretch; to give plenty

dar palmaditas en la espalda — to pat one's back

darse contra las paredes — to hit oneself against the wall

darse con un canto en los dientes — to be more than pleased

darse cuenta de — to realize

de buena gana — willingly

de buen ver — good looks

dejarse caer — to drop by; to make a remark on

de nuevo — again

de paso — at the same time; on the way

de pronto — all of a sudden

desde luego — of course; naturally

de sobra — more than enough

de una vez — once and for all; all at once

de vez en cuando — once in a while

echarse a + infinitivo — to begin to + infinitive

echarle a uno un capote — to come to one's help; rescue

echar una mano — to give a hand

empeñarse en — to insist on

en busca de — in search of

encantarle a uno — to enchant; to like

encogerse de hombros — to shrug one's shoulders

en cuanto — as soon as

en cuanto a eso — as for that; as to

entrar en materia — to get to the point

enfadarse — to get mad

en el fondo — deep inside

equivocarse — to make a mistake

es el colmo — it's too much

estar acostumbrado a — to be used to; to be accustomed to

estar al llegar — (to be ready) to come any minute

estar a punto de — to be on the verge of; to be ready to

estar de moda — to be fashionable

estar de muy buen ver — to look real well

estar dispuesto a — to be ready to

estar en las nubes — to daydream; to be in a daze

estar en pro de — to be in favor of

estar fuera de onda — to be not in tune; to be out of it

estar fuera de sí — to be beyond one's self; to be very bothered

estar harto de — to be fed up with

estar hasta las narices — to have had enough; to be fed up

estar hecho polvo — to be terribly upset

estar hecho un lío — to be very confused

estar listo — to be ready; to be done

estar muerto de miedo — to be scared stiff; to be very frightened

estar muy visto — to be common place

estar pendiente de — to be expecting; to be waiting for

estar reventado — to be "beaten up"; to be very tired; to be worked to death

es un decir — it is just a saying

es una lata — it is a bore

extrañarle a uno algo — to be surprised by something

falta de — the lack of

fijar la fecha — to set the date

fijarse — to notice; to pay attention

forrarse a costa de alguien — to make a lot of money from someone

gastarle una broma a alguien — to tease someone

gastar cumplidos — to be overly polite

haber madera — to have talent

haber una cama por medio — to be a question of sex

hacer años que — to be years since

hacer caso — to pay attention

hacer daño — to harm

hacer de tripas corazón — to overcome one's emotions

hacer el caldo gordo — to flatter

hacer el primo — to be taken in

hacer el vacío a alguien — to ignore someone

hacer gracia — to be funny; to make one laugh

hacer la pascua a alguien — to do someone in

hacerle falta a uno — to be in need of; to miss

hacer polvo a alguien — to damage someone

hacerse un lío — to get very confused

hay madera — there is talent

horrorizarle a uno — to be scared of; to be frightened by; to be very apprehensive about

importarle a uno — to make a difference; to care

importarle a uno un rábano — to make no difference

importarle a uno tres narices — (don't give a damn); to not give a damn

ir al grano — to get to the point

ir largándose — to go away

irse defendiendo — to be getting along

110

jugarse el cocido — to risk one's job
jugarse el tipo — to risk one's life

las aguas vuelven a su cauce — everything gets settled
lleno de razón — to be self righteous
llevar la contraria — to contradict
llevarse mal con — to get along badly

no dar una — not to hit it right; to be always wrong
no hay más remedio que — there is no other way but
no hay manera de — there is no way to
no poder más con — not to be able to stand it any longer
no poder menos de + inf. — not to be able to help it
no me lo acabo de creer — I can't quite believe it
notársele a uno — to be noticeable

occurrirsele a uno — to come to one's mind; to occur to one

parar los pies al lucero del alba — to stop anybody
parece que — it seems that
parecerle a uno — to seem to one
parecer mentira — to seem impossible
pasarlo bien — to have a good time
pasarlas de a kilo — to have a hard time
pasarle a uno algo — to have had something happen to some one
pasarlo de maravilla — to have a wonderful time
pasarse — to go too far
pasarse de rosca — to go too far
pillarle a uno — to catch someone in the act; to be handy for one
poner en vergüenza a alguien — to embarrass somebody
poner en violencia — to embarrass

poner la mesa — to set the table
poner los ojos en blanco — to show surprise
poner una conferencia — to call long distance
ponerle malo a uno — to make one sick
ponerse de tiros largos — to dress up
ponerse en pie — to stand up
ponerse en rídiculo — to make a fool of oneself
ponerse morado — to gorge oneself
por cierto — by the way
¡Por Dios! — For Goodness sake!
por eso — so; because of that
por fin — at last
por lo menos — at least
por supuesto — of course
portarse bien — to behave well
por un causal — by chance; for instance
plantarse — to stop; to resist
preocuparle a uno algo — to worry someone about something
pues eso — so that

quedarle a uno algo — to have something else left
quedar redondo — to come out perfectly well
querer decir — to mean

recoger el guante — to accept the challenge
recoger velas — to retract

sacar de quicio algo — to distort
sacar de quicio a alguien — to upset someone
sacar el jugo a alguien — to squeeze something out of someone; to abuse someone
salir al paso — to confront
salir del paso — to overcome some difficulty
ser capaz de — to be able to
ser del todo — to be completely
ser el ama del cotarro — to be the boss of a situation
ser igual — to be the same; not to matter

ser más infeliz que un cubo — to be very naive

ser muy parecida a — to be very similar to

ser superior a las fuerzas de uno — to be more than one can take

ser una lata — to be a bore

ser una monada — to be cute

ser una pena — to be a pity

ser un bicho raro — to be a strange person; to be weird

ser un mazazo — to be a blow

sentirse en vena — to be in the mood

sentirse fatal — to feel badly; lousy

sin embargo — nevertheless

sobre todo — above all

soler — to be accustomed to; to be in the habit of

tal vez — perhaps

tanto como — so much as

(por) tanto rato — (for) so long

tener aire de — to have an air of

tener cuidado — to be careful

tener en cuenta — to take into account; to consider

tener éxito — to be successful; to be a hit

tener ganas de — to feel like

tener la cabeza hecha un lío — to be confused

tener muchas luces — to be bright

tener razón — to be right

tener tanto empeño en — to be so interested in

tener uso de razón — to be mature

tirar de la manta — to uncover something; to expose

todo el mundo — everybody

tomar cariño — to grow fond of

tomar el pelo a alguien — to tease someone

tomarla con alguien — to pick on someone

tratarse de — to be a question of; to deal with

una especie de — sort of; something like a

valer la pena — to be worth while

volverse atrás — to retract; to go back

Clásico Teatro

Primer acto
Presentación de personajes
Se inician los conflictos
Conflicto o tema central
Suspenso

Segundo acto
Se agudizan los conflictos
Estalla el conflicto central
   Solución   trágica
            cómica
          tragicómica